BARACK OBAMA

L'Affaire di Falco : l'Église en question, Ramsay, 2003.
Les États-Unis : questions sur la superpuissance, Milan, 2004.

GUILLAUME SERINA

BARACK OBAMA

ou le nouveau rêve américain

l'Archipel

Un livre présenté par Joseph Vebret.

www.editionsarchipel.com

Si vous souhaitez recevoir notre catalogue
et être tenu au courant de nos publications,
envoyez vos nom et adresse, en citant ce
livre, aux Éditions de l'Archipel,
34, rue des Bourdonnais 75001 Paris.
Et, pour le Canada, à
Édipresse Inc., 945, avenue Beaumont,
Montréal, Québec, H3N 1W3.

ISBN 978-2-8098-0077-7

À mon fils.

Prologue

Le sacre de Denver

Au loin se détachent les hauts immeubles du centre-ville. Ayant bravé la chaleur et fait la queue sous le soleil pour emprunter la navette, Solon est heureux d'être arrivé à destination : Invesco Field, le stade des Broncos, l'équipe de football de Denver. Cet Africain-Américain de Detroit, dans le Michigan, a fait le voyage pour assister à la Convention nationale du parti démocrate. S'il est là, c'est pour Barack Obama, qui doit officiellement « accepter » la nomination de son parti, ce jeudi 28 août au soir.

Derrière ses lunettes de soleil, toutefois, Solon demeure inquiet. « Il reste du boulot. Cette convention est une réussite, mais je doute. Je ne sais pas si, dans l'isoloir, les gens ne vont pas changer d'avis au dernier moment... J'en ai tellement peur. » Jeune quadragénaire et père de famille, Solon manie le mot « racisme » du bout des lèvres. « Les républicains vont utiliser les mêmes vieilles ficelles, réveiller la peur des Américains. Je sais que c'est dur pour les Blancs de comprendre, mais c'est vraiment quelque chose de particulier que d'être une minorité », dit-il d'un ton posé.

Solon reste « concentré ». Il estime qu'Obama a déjà fait une superbe campagne, mais qu'il « ne faut pas se louper dans la dernière ligne droite ». Il pénètre enfin dans l'enceinte du stade aux courbes séduisantes. Le show vient de

9

commencer. Dans les travées, des centaines de supporters démocrates font la queue pour acheter de quoi grignoter et boire toute la soirée. Le stand « officiel » des produits de merchandising fait le plein. Badges, pancartes, T-shirts, casquettes... Tout est estampillé du logo « Obama for America », un soleil levant aux couleurs du drapeau américain, sur fond bleu. L'écrasante majorité des citoyens – Blancs, Noirs, Latinos, Asiatiques... – affiche au moins l'un de ces objets de campagne. Même les journalistes !

Des coursives, on empreinte un mini-tunnel pour déboucher dans les tribunes. La cuvette impressionne : trois étages, trois écrans géants et une foule déjà compacte. La scène, sur l'un des grands côtés de la pelouse, présente un décor de colonnades qui rappelle le Capitole de Washington. Sur la droite, un orchestre rock d'une quinzaine de musiciens. Au centre, le podium s'avance presque au milieu de la foule. Le pupitre principal est placé là, au cœur de ce cercle étoilé sur moquette bleue. De part et d'autre de la scène, deux autres pupitres.

C'est le grand jour. Dans quelques heures, Barack Obama sera officiellement le premier Noir candidat à la présidence des États-Unis. En ce quatrième et dernier jour de la Convention, l'heure est à la fête. Le rappeur Will.i.am et les chanteurs John Legend, Sheryl Crow et Stevie Wonder se succèdent sur scène. On chante, on danse, on rit dans les tribunes. On agite déjà les pancartes « Obama ».

Le rendez-vous, retransmis en direct par les grandes chaînes nationales et les chaînes d'information du câble, est surtout politique. Plusieurs pointures du parti démocrate viendront ainsi prononcer des discours calibrés de cinq à dix minutes maximum. Al Gore, ancien vice-Président de Bill Clinton, candidat malheureux face à Bush en 2000, insiste de nouveau sur le péril du changement climatique. « Je suis pour le recyclage, mais il y a quand même des limites ! », plaisante-t-il, par allusion à la politique des républicains. Bill Richardson se taille lui aussi un beau succès. Ce diplomate reconnu, actuel gouverneur du

Nouveau-Mexique, martèle ce « qui doit changer » dans la politique étrangère de l'Amérique.

19 heures. Le stade est plein. Quatre-vingt-quatre mille personnes réservent un triomphe à cinq « citoyens américains », en tout point leurs semblables. Ces deux hommes et ces trois femmes évoquent brièvement leurs difficultés. Les textes, élaborés par des professionnels de la communication, sont d'une redoutable efficacité. Une mère de famille de Pennsylvanie, à la tête d'une PME, jure qu'elle ne peut plus payer son assurance santé. « Tout allait bien, mon mari et moi gagnions bien notre vie… jusqu'au jour où il a eu une crise cardiaque et où il a fallu l'hospitaliser. Nous avons perdu notre emploi et notre maison. » Émotion du public. Puis les applaudissements retentissent, comme pour l'encourager. Enfin, l'aveu : « Je suis républicaine. » Quelques huées se font entendre, mais la courageuse mère de famille poursuit : « J'ai voté Nixon, Reagan, Bush et encore Bush. Maintenant je dis : "Ça suffit." Le 4 novembre, je vais voter Barack Obama ! » L'ovation est immense. Rien de mieux pour chauffer l'ambiance. Une *ola* survit plusieurs tours.

20 heures. La nuit est tombée au pied des montagnes Rocheuses. Soudain les lumières s'éteignent. Les écrans montrent un film sur la vie d'Obama. Photos d'archives, commentaires en voix *off* d'un narrateur, mais aussi de Barack lui-même ou de Michelle, son épouse. La musique retentit, la sonorisation du stade est excellente. Puis le film s'achève. Et Obama en personne s'avance sur la scène, saluant la foule de la main. Atmosphère indescriptible. Cris, applaudissements, pleurs : les dizaines de milliers de spectateurs se sont levés comme un seul homme, hurlant leur bonheur de voir le premier Africain-Américain à avoir une réelle chance de devenir « leur » leader. L'ovation dure plusieurs minutes. Le sénateur sourit, il semble heureux mais paraît concentré. Il doit prononcer le discours de sa vie. Être à la hauteur de sa réputation. Il joue gros. L'élection a lieu dans moins de neuf semaines.

« Avec une profonde gratitude et une grande humilité, j'accepte votre nomination pour la présidence des États-Unis d'Amérique », lance-t-il d'emblée. Pendant quarante-trois minutes, dans un discours intitulé « La promesse de l'Amérique », Barack Obama alterne les messages : l'espoir, l'histoire de sa famille, l'unité. Des thèmes récurrents dans sa campagne. Et, pour la première fois, il s'en prend sans ambages à son adversaire John McCain, le candidat républicain. Il présente le sénateur de l'Arizona comme un homme « du XXᵉ siècle », c'est-à-dire du passé. Tandis que lui, à quarante-sept ans, représente l'avenir. « Amérique, on ne peut pas retourner en arrière ! », lâche-t-il, galvanisé. Puis il enchaîne en abordant ses promesses de réforme : l'économie et l'énergie seront les grandes priorités intérieures de son mandat.

Le candidat démocrate durcit également le ton sur les affaires étrangères ; il doit prouver qu'il peut être un solide « commandant en chef », selon les termes de la Constitution. « J'ai des nouvelles pour vous, John McCain, dit-il en fixant la caméra. Je suis autant patriote que vous, que nous tous [...]. Je n'aurai aucune hésitation lorsqu'il faudra protéger mon pays », déclare-t-il à l'adresse de ceux, supposément nombreux, qui doutent de ses capacités à la fermeté. Il fustige son adversaire « qui a voté à 90 % pour toute la politique de Bush ». « Le problème n'est pas que John McCain ne s'intéresse pas aux Américains ; le problème, c'est que John McCain ne les comprend pas. » Ravie, la foule approuve. Obama tente de lier inextricablement le bilan du président impopulaire et l'ancien officier de la marine. Il y parvient avec talent.

« C'est l'Histoire en marche », juge Howard Fineman, rédacteur en chef à *Newsweek*, en marge de la fête, en croquant maladroitement dans un hot-dog. « C'est pour ce type d'événement que j'ai voulu devenir journaliste », poursuit celui qui a couvert une bonne dizaine de conventions démocrates et républicaines. « Historique » : le mot revient constamment dans la bouche des commentateurs, à la télévision, ou dans les pages des journaux, le lendemain du discours. « Il a surpassé mes attentes », glisse Agnes à un ami, au téléphone, à la sortie du stade. Obama vient de réaliser un sans-faute. Rejoint dans les sondages par son concurrent, la pression était grande depuis plusieurs semaines. De l'avis général, le talentueux orateur vient de frapper un grand coup.

En quête d'unité

Mardi soir, 25 août. Trois jours avant le sacre. Sur la 16e Rue, l'artère centrale et commerciale de Denver, le défilé de ne s'interrompt pas. À près de 23 heures, les délégués, journalistes et observateurs continuent de rentrer du Pepsi Center, l'arène couverte où se tient, depuis la veille, la Convention du parti démocrate. Sur les visages, les sourires sont de mise. Certains brandissent des piquets et des pancartes portant les mots « Unity » et « Obama ». D'autres sont sobrement siglées « Hillary ». On entend : « C'était un bon discours, rien à redire. » Ou encore : « Je l'aime bien, quand même... »

C'est le deuxième jour du grand rendez-vous du parti, celui où, comme tous les quatre ans, se rassemblent les militants des cinquante États d'Amérique. Aujourd'hui, c'est Hillary Clinton qui est à l'honneur. Pour la sénatrice de l'État de New York, ce discours devant la Convention arrive deux jours trop tôt. Jusqu'au mois de juin, elle a espéré être celle qui « accepte » la nomination de son parti, à la place de Barack Obama. Mais jeudi soir, c'est bien le sénateur de l'Illinois qui s'exprimera.

Au cœur du stade couvert, où jouent habituellement les basketteurs des Nuggets, la foule est chauffée à blanc. Avant l'arrivée sur scène de Clinton, plusieurs personnalités démocrates prennent la parole. Le cœur de Denver vibre. La capitale du Colorado, dont l'agglomération compte un million d'habitants, est pour une semaine le centre du monde – tout au moins, de l'attention internationale. Quinze mille journalistes venus des cinq continents, badgés comme il se doit, saturent les services de la ville : transports, restaurants, bars, hôtels. Comme pour tout événement à portée mondiale, l'hébergement est un casse-tête : mieux valait réserver une chambre six mois à l'avance.

Les marchands ambulants occupent tout le secteur de Downtown, où les grands hôtels abritent les délégations du parti démocrate, et de « LoDo » (*lower downtown*), où les bas immeubles de brique du début du xxe siècle rappellent que la « conquête de l'Ouest » est passée par là. Les badges, casquettes, T-shirts, pancartes, bannières sont tous à l'effigie du héros du jour. Tout le monde ne parle que de cela. En parallèle de la Convention officielle, de nombreuses réunions se tiennent dans les salons des grands hôtels : groupes de pression, partis démocrates locaux, ONG… Les débats sont ouverts à tous. La politique a pris d'assaut Denver.

Deux Clinton pour le prix d'un

Des grands moments de politique, l'assemblée des délégués va en connaître plusieurs en quatre jours. Mardi soir, Hillary Clinton a fait forte impression, appelant enfin très clairement à l'union derrière Barack Obama. Certains des délégués qui ont voté pour elle traînent encore un peu les pieds. Alta Beasley, de Georgetown (Ohio), fait face à la scène, dans la zone réservée à son État, dont un piquet indique le nom. Cette consultante en affaires est une « fière supportrice de Hillary ». « Elle s'est montrée si élégante. Elle continuera sa brillante carrière comme sénatrice. C'est ainsi », semble-t-elle regretter. Et de poursuivre : « C'est la convention de Barack. Je connais ceux d'entre nous qui vont lui donner du fil à retordre. Ils sont bruyants, mais ils ne représentent qu'une minorité. » Le matin même, toute la presse posait la question : Clinton va-t-elle ordonner à ses délégués de voter Obama ? Va-t-elle « libérer » ses délégués, selon le jargon en vigueur ? Rien n'est moins sûr et certains fantasment sur un renversement de situation.

Mais rien de tel n'arrive. Mercredi après-midi, l'heure d'Obama va retentir. Sous le marteau de Nancy Pelosi, *speaker* de la Chambre des représentants, la Convention procède au *roll call*. État par État, les délégués se prononcent. Hillary Clinton a obtenu auprès de l'équipe d'Obama – de haute lutte – que son nom soit maintenu, pour l'Histoire. Les votes seront-ils proportionnels aux résultats serrés des primaires ? Ou bien, au contraire, les soutiens de Clinton répondront-ils à son appel à l'unité ?

L'ordre alphabétique désigne l'Alabama pour s'exprimer en premier. Une clameur de joie éclate dès le début de la procédure. Le moment, il est vrai, est unique : un Noir et une femme sont en compétition pour le poste suprême. Même si le résultat est couru d'avance, contrairement aux premières conventions de l'Histoire américaine.

Le président des délégués, parfois accompagné d'une vedette politique du cru, commence par chanter les louanges de chaque État : « *The great State of Massachusetts, home of the Boston Red Sox, home of John Adams, is proud to*[1]… » Cette « fierté » a pour vocation de rappeler aux observateurs le caractère si divers des États-Unis. L'Union est avant tout la somme de cinquante États souverains. Ce qui donne un petit goût d'Eurovision à l'événement.

Certains États ont décidé de conserver le résultat de leur primaire. Ainsi, le Kentucky donne 36 voix à Obama et 24 à Clinton. De même pour le Massachusetts, qui n'offre « que » 65 délégués à Obama, contre 52 à Clinton – quand bien même cette dernière l'a emporté lors du Super Tuesday. D'autres États, en revanche, préfèrent jouer l'unité. Le New Hampshire et le New Jersey, par exemple, apportent

---

1. « Le grand État du Massachusetts, berceau des Boston Red Sox et de John Adams, est fier de… » Les Boston Red Sox sont l'équipe de base-ball de Boston.

l'intégralité de leurs délégués (respectivement 30 et 120) à Barack Obama.

État après État, voici venu le tour de celui de New York, dont Hillary Clinton occupe l'un des deux postes de sénateurs au Congrès. Trente-cinq États et territoires ont déjà voté, dans une atmosphère bon enfant. Les Hawaiiens ont reçu une belle acclamation, sous les flashs crépitants des photographes, accourus pour l'occasion : l'État natal d'un Président en puissance, cela ne se rate pas ! Au moment où Nancy Pelosi donne la parole à New York, on perçoit un certain tumulte. On se bouscule. Une clameur jaillit : c'est Hillary Clinton qui fait son entrée ! Prenant la parole, elle demande « solennellement d'arrêter la procédure du *roll call* », puis fait un pas supplémentaire en direction de son ancien adversaire : « Je demande que Barack Obama soit désigné par acclamation ! » Surprise totale dans l'assistance, mais scénario bien huilé pour les « chefs ». Aussitôt dit, aussitôt fait : après un « *Ayes !* » ébouriffant, crié par des milliers de gorges, Obama est officiellement désigné candidat du parti démocrate à la présidence des États-Unis... à l'unanimité.

Le clou de l'union est enfoncé quelques heures plus tard par un autre Clinton. Lorsque Bill pénètre sur la scène, c'est l'explosion. « *I love you !* », lance l'ancien Président, qui peine à cacher son bonheur. La *standing ovation* réservée au seul démocrate élu pour deux mandats depuis Roosevelt dure quatre minutes, montre en main. Son entrée en matière résumera la teneur de son intervention, en direct sur les écrans des Américains : « Je suis ici pour soutenir Barack Obama ! » Michelle, l'épouse du candidat, présente dans la salle, boit du petit-lait. « Le prochain Président, poursuit Clinton, devra reconstruire notre rêve américain, il devra restaurer le leadership de l'Amérique dans le monde. [...] Barack Obama est l'homme qu'il faut pour ce travail. Barack Obama est prêt à diriger. Barack Obama est prêt à être président des États-Unis. » On n'en attendait pas tant d'un homme qui n'a pas toujours ménagé le sénateur de l'Illinois pendant la campagne des primaires. Bill et Barack ne se sont d'ailleurs parlé qu'à deux reprises, au téléphone, depuis la fin du processus. Et si Obama n'est pas là ce soir-là, la réconciliation est tout de même spectaculaire.

Le choix délicat du vice-Président

Le reste de la soirée appartient à un homme très heureux d'être à Denver. Une semaine auparavant, il ne s'y attendait pas. D'une certaine façon, il est la surprise du chef. Il n'a d'ailleurs pas l'air de gâcher son plaisir, en compagnie de son fils et de ses petits-enfants, tandis qu'il clôture son intervention vers 21 heures. Joe Biden est pourtant un vieux routier de la politique. Sénateur du petit État du Delaware, sur la Côte est, il est élu sans discontinuer depuis l'âge de vingt-neuf ans. Il en a aujourd'hui soixante-cinq. Président du Comité des relations internationales du Sénat, il s'est lié d'amitié avec Obama. Trois jours avant l'ouverture de la Convention, ce dernier lui a demandé d'être son colistier : Joseph Biden Jr est le candidat à la vice-Présidence.

Biden faisait partie d'une courte liste de quatre noms. Les trois autres s'appelaient Evan Bayth, sénateur de l'Indiana, Jim Webb, sénateur de Virginie, et Kathleen Sebelius, gouverneur du Kansas. Il semble bien que Hillary Clinton n'ait jamais été pressentie pour ce rôle, malgré ses appels du pied, si l'on en croit certaines sources. C'est donc le plus expérimenté, le plus âgé et le plus « washingtonien » de la liste qu'Obama a choisi. Une demi-surprise.

« Il y a trois façons de sélectionner le candidat à la vice-Présidence », explique John Emerson, qui se rappelle, pour en avoir été le témoin direct, comment Clinton avait retenu le nom d'Al Gore[1]. « Première possibilité : prendre quelqu'un qui vient compenser une faiblesse, afin d'améliorer

---

1. Entretien avec l'auteur, 17 juin 2008. Voir chapitre 9.

la qualité du "ticket". Deuxième possibilité : choisir quelqu'un qui peut apporter la victoire dans un État-clé lors de la présidentielle. Enfin, on peut décider de renforcer le message du candidat principal. En choisissant Al Gore, de la même génération que lui et doté d'un profil politique similaire, c'est cette dernière voie qu'a choisie Bill Clinton », assure Emerson.

En appelant Biden à partager son ticket, Obama a préféré la première option. Critiqué pour son manque d'expérience en politique étrangère, conscient que son jeune âge effraie certains électeurs, il a choisi la solution la moins risquée. Joe Biden, aux dires de ses amis comme de ses opposants, est un homme d'État expérimenté. Seul défaut : il a la réputation de parler parfois un peu trop fort et un peu trop vite. Attention à la gaffe dans la dernière ligne droite !

Thomas Mann, de la Brookings Institution, connaît bien Biden pour le suivre depuis longtemps sur Capitol Hill. « Il est très respecté à Washington. Depuis la guerre en Irak, il est l'un de ceux qui ont organisé des auditions intéressantes au Congrès. Il a travaillé avec des républicains sur de nombreux sujets et il est un grand soutien de la cause féminine », analyse l'expert. Par ailleurs, Joe Biden serait « honnête et pourvu d'une grande éthique[1] ». Selon le même Thomas Mann, sa présence sur le ticket démocrate annonce une campagne musclée. Catholique irlandais, ayant perdu une femme et un fils dans un accident de voiture, Biden aime le combat politique. « Je pense qu'il mettra John McCain sur la défensive en le défiant résolument sur les questions d'affaires étrangères et de sécurité intérieure », poursuit l'observateur.

En choisissant aussi ouvertement un homme qui vient combler l'une de ses lacunes, et donc en avouant une faiblesse, Obama ne risque-t-il pas de s'exposer ? Biden, par ailleurs, ne promet pas à première vue d'être un facteur de changement à Washington... « Je pense au contraire que

---

1. Correspondance électronique avec l'auteur, 23 août 2008.

Barack Obama prouve ainsi qu'il n'est ni arrogant ni trop sûr de lui. Il a compris qu'il devait rassurer ceux qui doutaient de lui en formant un attelage très compétent. En plus d'être excellent dans les campagnes électorales, Joe Biden est tout à fait qualifié pour devenir un jour Président », conclut Thomas Mann.

Ce mercredi soir, après l'intervention de Biden, la foule a du mal à quitter le Pepsi Center : c'est si bon de faire partie d'une famille retrouvée ! Sur le parvis, devant la grande salle, l'excitation est palpable, en particulier face à la « sortie VIP ». Les célébrités de Hollywood et d'ailleurs sont nombreuses à se faufiler dans de luxueuses berlines : les acteurs Forest Whitaker, Jamie Foxx, Susan Sarandon (militante de toujours), la jeune Anne Hathaway, le réalisateur Spike Lee et son inamovible casquette. Même le grand Muhammad Ali, qui « esquivait comme un papillon et piquait comme une abeille », aujourd'hui très diminué par la maladie de Parkinson, a fait le déplacement dans le Colorado. « T'es le plus grand, Champ ! », crie un admirateur, poing levé.

Du côté des politiques, on affiche sa satisfaction. Le rendez-vous de Denver a été une réussite. À la veille du dernier jour, les visages paraissent à la fois rassurés et motivés. « Vous savez, la Convention, c'est un moment important pour nos partis politiques. C'est notre respiration démocratique, tous les quatre ans », explique Hank Johnson, représentant de la circonscription d'Atlanta (Géorgie) au Congrès. Et le *congressman* africain-américain de poursuivre, avec un sourire émerveillé : « Celle-ci est ma première et elle est bien belle ! Obama sera notre prochain Président et le monde va changer. » Henry Waxman, qui siège également à la Chambre des représentants, est quant à lui élu de Californie depuis 1974. Autant dire qu'il est un vétéran de ce type d'événements. « Extraordinaire ! clame-t-il en tenant la main de sa femme, ravie. Notre parti est uni, nous avons un excellent candidat, la Convention a été impeccable. »

Le petit homme mince et courbé qui s'avance maintenant rappelle bien des – mauvais – souvenirs aux démocrates.

Voilà pile vingt ans, c'est lui qui était désigné candidat à la Maison Blanche par les militants du parti démocrate. Les cheveux de Michael Dukakis ont blanchi, mais son œil demeure vif sous l'épais sourcil. Ce fils d'immigrés grecs, ancien gouverneur du Massachusetts, aujourd'hui professeur à la Northeastern University (dans le même État) et à l'UCLA (Californie), sait de quoi il parle. Lui aussi prônait le « changement ». Face à George Bush, alors vice-Président de Ronald Reagan, il a mené la danse des sondages pendant de longs mois. Avant de s'écrouler sur la fin, victime des spots télévisés assassins de son adversaire républicain. Le règne du Grand Old Party, au pouvoir depuis huit ans, fut prolongé de quatre années supplémentaires. Obama se trouve aujourd'hui dans la même situation. Galvanisé comme les autres, Dukakis dit sobrement : « C'est historique. » Dans sa bouche, l'adjectif ne semble pas galvaudé. « Tout simplement historique », répète-t-il en évoquant la couleur de peau de « son » candidat. « La campagne de Barack est extrêmement bien organisée, affirme l'expert. Nous allons gagner. Ce qui fera la différence, c'est la mobilisation sur le terrain. »

Il reste une poignée de semaines à Barack Obama pour le prouver et entrer dans l'Histoire.

1

Naissance d'un phénomène

Le temps est sec et glacial. – 15 °C en plein mois de février, à Chicago, c'est plutôt habituel. Mais, ce jour-là, « Windy City », la ville du vent, ne frémit à aucun souffle. Dans le centre-ville historique, les plus anciens édifices d'Amérique grattent un ciel toujours bleu. En bas, le lac Michigan est gelé. Pas seulement sur la rive, mais au large aussi. Des vapeurs blanches sortent des trottoirs, comme dans les films. Les piétons, nombreux ce matin, pressent le pas pour aller au travail. Casquettes des White Sox ou des Cubs, les deux équipes de base-ball locales, feutres élégants, tout se côtoie sur Michigan Avenue.

Le siège du *Chicago Tribune*, le puissant quotidien du Midwest, affiche un style gothique années 1920. Sur sa façade sud, les touristes admirent les pierres dont on dit qu'elles proviennent des plus célèbres cathédrales du monde, dont Notre-Dame de Rouen. De l'autre côté de l'artère, un escalier s'enfonce dans les profondeurs de la ville. Étrange atmosphère qui n'est pas sans rappeler les cases nocturnes de *Tintin en Amérique*. Dans ce souterrain, les voitures roulent vite. On imagine aisément les guet-apens tendus aux « Incorruptibles » par les hommes de Capone. À cette évocation, on sourit. « Il est loin le temps de la prohibition, on est au XXIe siècle. » Pas si sûr ! On pousse la porte de la Billy Goat Tavern. Sinistre. Ce haut lieu de la vie nocturne s'éveille à peine. Son heure de gloire remonte aux années 1970 et 1980, lorsque John Belushi et ses acolytes de l'émission satirique « Saturday Night Live » y faisaient la fête. On demande un café pour se réchauffer. Le barman, qui essuie un verre d'un coup de poignet ferme, lève à peine les yeux. Le liquide brûlant arrache le palais.

Le pub est vide. À l'exception d'un homme, assis à une table au milieu de la salle sans fenêtre. Une pile de journaux, une tasse qui fume et une odeur de tabac chaud. C'est ici que John Kass, la cinquantaine, a donné rendez-vous. Le Billy Goat, c'est son antre. Cheveux grisonnants, Kass carbure au café et sans doute à autre chose. Surprise, le sourire est aimable et la poignée de main chaleureuse. Son jeune assistant le rejoint. On dirait de vieux copains. John Kass est une figure du petit monde politico-médiatique de Chicago. Journaliste au *Tribune*, il y tient une chronique quotidienne. Le type de chronique sans doute honnie par la direction, mais qui persiste grâce à son succès populaire. Kass ne pratique pas la langue de bois. Et sa plume est acérée.

Demain, Barack Obama, jeune sénateur local, annoncera en grande pompe sa candidature à la présidence des États-Unis. La nouvelle icône politique n'émeut guère John Kass. Il en a vu d'autres. Dans le discours ambiant, l'homme détonne. Dans ses chroniques, il lâche ses coups. Alors on a envie de l'entendre parler. Une dernière gorgée et c'est parti.

— Ça vous dérange si j'utilise cette conversation dans ma chronique de demain ? demande-t-il d'emblée.

— Non, pas du tout.

— Pourquoi vous intéressez-vous à Obama ?

Mauvais départ, l'interview est inversée. Il ne fallait pas s'attendre à autre chose venant d'un journaliste.

— Il est jeune, il a la possibilité d'être le premier Président noir d'Amérique, cela semble justifié, non ?

Kass regarde fixement et tire une taffe.

— Mouais, on peut penser ce qu'on veut de lui.

— Vous n'avez pas l'air de l'apprécier, en tout cas.

— Ce n'est pas ça. Je veux dire qu'on peut vraiment penser ce qu'on veut de lui.

Suit une analyse intéressante. Sans doute l'une des plus pertinentes entendue – ou lue – depuis le début du phénomène Obama. John Kass parle de l'effet miroir. « Barack Obama est tout ce que vous voulez. Chacun projette ses envies, ses fantasmes sur lui. Il vous renvoie votre propre image, votre propre idée, votre propre opinion politique. » Ce n'est pas qu'il soit un homme lisse, sans personnalité, non. Le journaliste insiste : « Si vous êtes noir, vous voyez en lui le candidat africain-américain. Si vous êtes blanc, vous voyez en lui le juriste brillant et l'homme politique intelligent. Si vous êtes libéral[1], vous adorerez ses thèses les plus audacieuses. Si vous êtes plutôt centriste ou démocrate conservateur, vous retiendrez ses idées prudentes. » John Kass enchaîne : « Il y a une telle demande chez les électeurs démocrates, du fait du rejet du Président Bush, qu'ils sont prêts à tout. »

L'assistant de John hoche la tête, approuvant en silence. Il feuillette les quotidiens du matin, pendant que Kass relance, ironique : « Ce qui est étonnant, c'est que cet homme que l'on dit intelligent continue de s'afficher avec des malfrats comme Daley. » Richard Daley est le maire de Chicago. Blanc, midwesternien, il « règne sur la ville comme un suzerain sur son fief, au sens féodal du terme », lâche Kass. À son sourire et au ton de sa voix, on comprend que l'édile est la tête de turc du chroniqueur. Son punching-ball. Même son assistant s'agite. « Si vous voulez vraiment enquêter sur Obama, il faut comprendre comment fonctionne la politique à Chicago. C'est une ville très spéciale, extrêmement corrompue et qui n'a pas totalement coupé les ponts avec son passé sulfureux. » Allons bon !

---

1. Le terme « libéral » aux États-Unis signifie « très progressiste », c'est-à-dire « de gauche », si tant est qu'il y ait une gauche sur l'échiquier politique américain.

Al Capone traînerait-il toujours dans les parages ? Mais que fait donc Eliot Ness ? « Daley est un homme qui a assis son pouvoir de façon autoritaire. Il agit en maître. Obama, pour se faire accepter par le sérail local, a dû s'incliner. Tel un vassal, poursuit-il. Daley l'a adoubé, comme les autres. Une fois qu'on a compris cela, on ne voit plus l'homme de la même façon, hein ? »

Après une heure et demie de conversation et de café refroidi, il est temps de remonter à la surface. Sur l'avenue, le soleil brille toujours. Demain, le sénateur Barack Obama, quarante-cinq ans, fera la une des journaux. Les chaînes de télévision repasseront en boucle son allocution sur les marches de l'ancien Parlement en brique de Springfield, la capitale de l'État de l'Illinois, à deux cents kilomètres au sud-ouest de Chicago. La ville natale d'Abraham Lincoln. Le symbole est fort. Obama, selon les observateurs, est le premier candidat africain-américain qui ait une chance d'entrer à la Maison Blanche. Le sénateur se pose en successeur de l'homme qui a aboli l'esclavage en 1865, après avoir maintenu l'unité de la nation durant la terrible guerre de Sécession. Le Président en a payé le prix de sa personne : il est mort assassiné[1].

« C'est dans l'ombre du vieux Capitole, où Lincoln a autrefois appelé une assemblée divisée à se rassembler, que je me tiens devant vous aujourd'hui pour annoncer ma candidature à la présidence des États-Unis[2]. » La gorge nouée par l'émotion et le froid, Barack Obama s'est lancé. Pour l'une des plus grandes aventures politiques des États-Unis. Un Noir à la Maison Blanche ? Les Américains en décideront peut-être ainsi le 4 novembre 2008.

---

1. Abraham Lincoln, fondateur du parti républicain moderne, fut assassiné le 14 avril 1865 dans un théâtre de Washington, par un extrémiste blanc sudiste.
2. Voir chapitre 7.

Le soleil est encore au rendez-vous. Mais nous avons remonté le temps de quelques mois. Cette fois, la latitude et les circonstances sont très différentes. Au centre-ville de Los Angeles, la foule se presse au Musée d'histoire africain-américaine. En octobre, dans le sud de la Californie, l'été est encore là. Le musée est situé dans un complexe composé de plusieurs pavillons. Pas de doute, toutefois, sur le bâtiment à atteindre. Les portes automatiques vitrées ont du mal à rester fermées et quelques cerbères aux verres fumés vous toisent des pieds à la tête. « Presse ? OK, passez. » De l'intérieur, le hall d'accueil du musée paraît grand. Haute de plafond, la structure pyramidale de verre offre un avantage : la lumière. Et un inconvénient : la chaleur. On transpire. On s'évente.

Le podium est installé face à l'entrée, si bien que l'assistance, déjà assise, tourne le dos aux caméras de télévision et appareils photo alignés au dernier rang. Il faut se faire mince et se faufiler sur les côtés. Le public est aux deux tiers africain-américain. La quasi-totalité des huit cents personnes présentes (selon les organisateurs) sont membres de la Fondation du musée et se sont procuré le dernier livre du sénateur Obama. *L'Audace de l'espoir* a paru deux semaines auparavant et figure déjà en tête des meilleures ventes de livres dans le *New York Times* et le *Los Angeles Times*. Le futur candidat effectue ce que l'on appelle aux États-Unis un « book tour », une tournée promotionnelle. Peu de choses à voir avec les séances de dédicaces à la française, principalement du fait de l'échelle du pays. Les déplacements se font en avion. Après Los Angeles, le démocrate sera le lendemain au Texas, dans le sud du pays. Des rassemblements similaires sont organisés par son éditeur, Crown, dans les vingt villes américaines qui comptent, de Boston à Miami en passant par Denver.

On s'agite en coulisse. L'entourage de l'homme politique se présente enfin devant la foule impatiente. Robert Gibbs, directeur de la communication du sénateur et ex-proche de

John Kerry, l'adversaire malheureux du Président Bush lors de la dernière élection présidentielle, reste dans l'ombre, place qu'il affectionne. La vedette paraît enfin. En une seconde, on comprend. Barack Obama n'est ni un homme politique ni un élu du peuple américain. Barack Obama est une star, façon rock 'n' roll. L'ovation, debout – la première d'une journée qui en comptera beaucoup –, est spontanée, bruyante, enthousiaste. Obama s'est déjà rassis, attendant que le maître des lieux fasse son discours de présentation. À dire vrai, pas grand monde ne regarde ni n'écoute le directeur du musée. Le public guette les faits et gestes du sénateur. Obama qui rit, qui s'essuie le front, qui hoche la tête. Le directeur exhibe l'exemplaire de *Time Magazine* qui, quelques semaines auparavant, a fait sa une sur « Le prochain Président », assorti d'un point d'interrogation. C'est du délire. À bout de bras, le magazine est brandi comme la Bible. L'assistance ne se retient plus.

La star se lève, ou plutôt se déplie. Grand, mince, Obama porte un pantalon de toile bleu marine et une chemise blanche, sans cravate. Il se dirige d'un pas nonchalant vers la tribune, donne au « présentateur » une accolade amicale, comme s'ils étaient de vieux amis. Alors qu'il s'apprête à prendre la parole, le silence se fait. Le concert rock s'est transformé en une première d'opéra, où le public semble prêt à dire « chut » au moindre bruit étouffé. « Merci, merci beaucoup. J'ai un peu attiré l'attention, ces derniers temps. » Éclats de rire dans la salle. « Aujourd'hui, on me reconnaît. Mais je me souviens qu'il n'y a pas si longtemps, je passais inaperçu. La première fois que je suis venu ici, je n'étais qu'avocat, pas encore au Sénat de l'Illinois. Il y avait dix personnes dans la salle, dont cinq qui travaillaient là. » En quelques phrases, le décor est planté. Du Obama pur jus : sympa, de l'humour, il n'oublie pas de souligner le chemin parcouru. La tactique est rodée, le rêve américain incarné est en marche. Il ne s'arrêtera pas. Pas aujourd'hui, du moins.

« On ne connaissait pas même mon nom, poursuit-il. On m'appelait Alabama ou Yo Mamma ! » Rire général. Le sénateur de l'Illinois paraît décontracté. Il parle avec aisance, facilité, sans aucune note. Il regarde l'assistance, de gauche à droite. Fait des pauses. Relance. Le rythme s'emporte peu à peu. À la manière d'un pasteur noir, Barack Obama donne par moment l'impression de prêcher. Il rappelle Jesse Jackson, compagnon de Martin Luther King Jr dans les années 1960 et candidat aux primaires démocrates de 1984, notamment. Sans conteste, Barack Obama a du talent.

Sur le podium, le jeune sénateur esquisse un commentaire de l'actualité, du conflit en Irak qu'il a taxé de « guerre idiote » dès son déclenchement, lors d'un discours à Chicago[1], au système de santé à réformer de fond en comble, à l'en croire. Le tout sous l'éclairage de « l'espoir » qu'il souhaite redonner à une Amérique « aujourd'hui divisée », mais que l'on peut « rassembler ». Le positionnement du futur candidat est déjà là. « Depuis dix ans, on a exploité nos peurs, cyniquement, et divisé le pays. Mais, aujourd'hui, les gens sont prêts pour le changement, scande-t-il sous les *yeah !* du public. Tout le monde : Noirs, Blancs, au nord, au sud ! » Obama prétend vouloir transcender les clivages raciaux et politiques. Il dit que « le pays est prêt à transformer la politique, comme l'ont fait John Kennedy, Ronald Reagan ou Franklin Roosevelt ». Pas moins. Sur la guerre en Irak, il fait mouche : « Après le 11 septembre 2001, nous nous sommes soudés autour du Président. Mais, très vite, au lieu de suivre une politique intelligente et forte, on a vu émerger une politique forte et stupide. » Le public, conquis d'avance, applaudit à tout rompre. Debout, une nouvelle fois.

À présent, il est temps de passer à la séance de dédicaces proprement dite. Attablé, concentré comme un élève de primaire, Barack Obama commence à signer de la main gauche les exemplaires tendus par les fans. Deux longues files se sont formées dans les allées latérales. Devant la table du politicien, un cordon de sécurité empêche les journalistes

---

1. Voir chapitre 5.

d'approcher. L'objectif d'un photographe d'agence dépasse de quelques centimètres ? La remontrance est immédiate. À la prochaine, c'est l'exclusion. Pour aller plus vite, Obama ne fait que signer. Pas le temps d'une bise ou de serrer une main. Encore moins de faire une photo.

Pendant l'attente, les conversations vont bon train. Pas de doute, les Américains qui sont venus aujourd'hui sont des citoyens engagés. Tous, ou presque, se déclarent électeurs démocrates ou indépendants[1]. Richard Scott, soixante-deux ans, attend son tour. Blasé de la politique, ce grand-père noir employé de banque estime qu'on a besoin d'Obama. « C'est notre meilleur espoir depuis Kennedy. Même si Clinton n'était pas mal. » Depuis qu'il parle de son éventuelle candidature à la présidentielle, Barack Obama est attaqué sur son « inexpérience ». « Parfois, c'est mieux de ne pas en avoir trop », juge Richard. Sarah Oesteile, vingt-six ans, chercheuse dans un *think tank* spécialisé sur les questions asiatiques, n'est pas du même avis. Elle « adore Barack », mais dit préférer Hillary Clinton. « Elle a plus d'expérience. Et une femme présidente, ce serait la première fois. Remarquez, un Africain-Américain aussi. » Elle poursuit : « Peu importe la couleur de peau, Obama nous rassemble tous. Il nous parle d'espoir, même si pour l'instant il est imprécis sur son programme. En fait, il serait le candidat idéal pour la vice-présidence, en complément de Clinton. »

Mais déjà le sénateur s'en va. Direction l'Université de Californie du Sud (University of Southern California, USC), un établissement privé dont le campus jouxte le musée. Dans deux heures, il y donne un discours en compagnie du maire latino de Los Angeles, Antonio Villaraigosa. En cette fin octobre 2006, l'Obamamania ne fait que commencer. Il lui reste deux ans pour conquérir la nation américaine. Deux ans, pile, avant d'entrer à la Maison Blanche.

---

1. Aux États-Unis, lorsqu'on s'inscrit sur les listes électorales, on choisit une affiliation partisane : républicaine, démocrate, indépendante ou autre.

2

Une jeunesse ballottée

L'homme est mince et élancé. D'une élégance classique, en toutes circonstances. Derrière des lunettes carrées aux solides branches noires, le regard est direct. Les pommettes sont saillantes. Il sourit souvent et coince la plupart du temps entre ses dents, côté gauche, une pipe nacrée du plus bel effet. Pourtant, Barack Obama, vingt-trois ans, ne vient pas du même monde. À Honolulu, la principale ville de l'archipel Hawaii, en plein milieu du Pacifique, il se trouve à l'extrême opposé de la planète. Loin, très loin de son Kenya natal.

Quand un Africain rencontre une Américaine

Hawaii, à la fin des années 1950, comme aujourd'hui d'ailleurs, est un drôle de mélange. Cinquantième État de l'Union[1], le territoire s'américanise à grande vitesse. Mais la culture demeure profondément « Pacifique » et ses habitants sont des « Pacific Islanders », comme on dit désormais dans la classification gouvernementale. Les traditions, transmises oralement de génération en génération, sont ancestrales.

---

1. Hawaii entre dans l'Union en 1959, la même année que l'Alaska. Ils sont les 49e et 50e États.

C'est dans ce *melting pot* que débarque, en 1959, Obama père, fils d'un serviteur de colons anglais et éleveur de chèvres. Issu de la tribu Luo, Barack Obama est né dans la petite ville d'Alego, sur les rives du lac Victoria. Élève appliqué, le jeune homme obtient une bourse pour étudier à Nairobi, la capitale kenyane. Rapidement, il a la possibilité de partir étudier l'économétrie à Hawaii[1].

Le premier étudiant africain au sein de l'université de Honolulu fait rapidement une rencontre déterminante. La jeune femme s'appelle Ann Dunham et suit le même cours de russe. C'est une adolescente de dix-huit ans, timide. Cheveux noir corbeau, longs, raides, souvent tenus par un serre-tête, elle a le visage allongé, le menton légèrement pointu. Ses yeux foncés adoucissent le visage, sous l'effet de paupières légèrement tombantes bardées de longs cils. Ann vient du fond de l'Amérique, du Kansas, un État rural, en plein milieu du continent nord-américain. Dans cette immense plaine fertile arrosée par la rivière Missouri, les fermes succèdent aux fermes. On y cultive le blé, le maïs, le soja. Ann vient d'une petite ville, Wichita. Son père travaillait sur les champs de pétrole pendant la Grande Dépression, puis a fait partie du régiment du général Paxton, en Europe, pendant la Seconde Guerre mondiale. Sa mère travaillait sur une chaîne d'assemblage de bombardiers. Après le conflit, le jeune couple a pu faire ses études grâce au « G. I. Bill », un dispositif d'aide au retour des anciens combattants, emprunter, déménager à Hawaii et acheter une propriété.

Autant dire que lorsque Mr Obama et Miss Dunham se rencontrent, deux mondes se télescopent. Les jeunes gens tombent amoureux et se marient en 1960, en partant en secret sur l'île de Maui. À l'époque, le mouvement des

---

1. Sur les relations entre les candidats à la Maison Blanche et leurs pères, lire l'article « Like father, like candidate », *US News & World Report*, 17 décembre 2007.

droits civiques est déjà en marche aux États-Unis[1], mais l'union d'une Blanche et d'un Noir, même s'il est africain et non issu d'une famille d'esclaves américains, fait jaser. Et n'est pas du goût des parents d'Ann...

Un petit garçon, Barack Jr, voit le jour le 4 août 1961 à Honolulu. Deux ans après sa naissance, Barack Sr décroche une bourse pour poursuivre ses études à la prestigieuse université de Harvard, tout près de Boston, dans le Massachusetts, à l'extrême nord-est des États-Unis. Mais ses moyens ne lui permettent pas de faire venir sa famille ; la relation ne survivra pas à cet éloignement. Malgré ses promesses, Barack ne reviendra pas voir sa femme et son fils, restés à Hawaii. Barack Jr ne rencontrera son père, retourné au Kenya dès 1963 après son passage à Harvard, qu'à une seule occasion. Alcoolique, on sait qu'il est mort dans un accident de voiture[2]. Ann apprendra qu'il était déjà marié dans son pays lorsqu'ils s'étaient rencontrés. Il avait affirmé que cette union n'était pas valable. Mensonge. De retour au Kenya, Barack Obama se remariera avec une autre Américaine. Au total, il aura neuf enfants de quatre femmes différentes.

Rétrospectivement, celui qui deviendra par la suite sénateur de l'Illinois affirme avoir souffert de l'absence de son père. Alors qu'il porte le même nom, Barack Obama ne se souvient que des récits de sa mère. Une collection de souvenirs brumeux, racontés par d'autres. De quoi faire d'une figure paternelle un héros... ou un lâche. « Le fait que mon père ne ressemblait pas du tout au reste des gens autour de moi – qu'il était noir comme un pois et ma mère blanche comme le lait – n'a presque laissé aucune empreinte dans mon esprit », écrira-t-il des années plus tard. D'après ce que

---

1. Les historiens datent le début du mouvement, dans le Sud des États-Unis, de l'année 1955. Les lois du Civil Rights Act, qui mettent fin à la ségrégation, sont votées par le Congrès en 1964 et 1965 sous la présidence du démocrate Lyndon B. Johnson.
2. Voir chapitre 10 sur l'identité de Barack Obama.

sa mère et sa grand-mère lui ont raconté, Barack Obama sait que son père était un très mauvais conducteur, avait une voix de baryton et un accent britannique marqué. Qu'il pouvait être abrupt et juger les autres facilement. Mais « il y a quelque chose que tu peux apprendre de ton père », lui dit un jour son grand-père maternel : « La confiance. C'est le secret du succès d'un homme. » Cette recommandation ne restera pas lettre morte.

Ann va pourtant refaire sa vie. Séduisante, âgée de vingt ans au moment de son divorce, elle fait la rencontre d'un autre étranger. Un Indonésien, du nom de Lolo Soetoro. Auprès de lui, Ann se sent en sécurité. Elle est consciente qu'il assurera à son fils une certaine stabilité. À six ans, le petit Barack est en mal de figure paternelle. Outre son grand-père, il ne côtoie pas d'hommes adultes dans sa vie quotidienne. C'est donc tout réfléchi. Lorsque Lolo propose à Ann de déménager en Indonésie, la décision est aisément prise. En 1967, la famille recomposée part pour Djakarta.

L'expérience indonésienne

Là-bas, le sénateur de l'Illinois dit qu'il ne se sentait « pas comme les autres ». Au-delà de sa recherche d'identité, l'environnement immédiat tendait à l'exotisme. Ainsi, Lolo élevait des crocodiles dans sa petite propriété. « Très peu de gens le savaient, mais il y avait un grand crocodile et plusieurs petits », se souvient Zulfin Adi, un ami d'enfance. De fait, il s'agissait d'un petit bassin. La famille élevait aussi des poules.

« Barry Soetoro » : c'est sous ce nom que Barack Obama est inscrit dans les établissements scolaires de la capitale indonésienne. « Barry », parce que c'est plus facile que « Barack ». Pour les autres, mais aussi pour lui-même, pense sa mère. On lui attribue en outre également le nom de famille de son beau-père. Entre six et dix ans, le jeune Obama est immergé dans un univers multiculturel ; cet épisode de sa vie sera par la suite largement interprété, commenté et parfois même déformé.

Barry est d'abord inscrit dans une école musulmane. L'Indonésie, qui a gagné son indépendance par les armes contre le colonisateur néerlandais en 1965, est déjà le premier pays musulman de la planète. Dans son autobiographie, Barack Obama parle d'un « centre islamique de quartier » et d'une « école musulmane », qui « accepte des enfants de toutes les religions ». « À l'école musulmane, raconte-t-il, le professeur a écrit à ma mère pour lui dire que je faisais la tête pendant les cours d'études islamiques. Ma mère n'était pas très inquiète. "Sois respectueux", m'a-t-elle dit[1]. »

Selon ses amis d'enfance, le jeune Barry se rend régulièrement aux prières du vendredi. « On priait, mais pas sérieusement, se souvient Zulfin Adi[2]. En fait, on imitait ce que faisaient les adultes à la mosquée. On adorait retrouver nos copains, on allait à la mosquée ensemble et on s'amusait. » La demi-sœur de Barack, Maya Soetoro, ne parle quant à elle d'islam qu'à l'occasion des « grands événements du quartier ».

La maison donne sur Haji Ramli Street, une artère de poussière, non goudronnée, où Barry joue au foot avec ses amis après l'école. Le quartier rassemble des habitants de la classe moyenne. La mosquée est toute proche. Lorsque le *muezzin* appelle à la prière, Barry et Lolo peuvent s'y rendre à pied. Zulfin Adi affirme pour sa part que Barack Obama est un bon musulman, tout comme son beau-père. « Je me souviens l'avoir vu porter le sarong », dit-il aujourd'hui. Maya, dans une déclaration faite en 2007, voit les choses autrement. « Mon père utilisait l'islam surtout pour établir des liens avec la communauté. Il n'allait jamais à la prière, sauf lors des grands événements du quartier. Il

---

1. Barack Obama, *Dreams from my father*, Three Rivers Press, 1995 ; tr. fr. *Les Rêves de mon père*, Presses de la Cité, 2008.
2. « As a child, Obama crossed a cultural divide in Indonesia », *Los Angeles Times*, 15 mars 2007.

n'était pas pratiquant, je suis certaine qu'il n'allait pas à la prière du vendredi[1]. »

En 1968, le petit Barry poursuit sa scolarité dans un établissement catholique situé au coin de la rue. La Fondation École Saint-François d'Assise, qui a ouvert l'année précédente, accueille des enfants de toutes les religions. Son institutrice, Israella Dharmawan, a une très bonne mémoire : « À l'époque, Barry priait aussi comme un catholique, dit-elle. Mais il était inscrit comme musulman, car son père, Lolo Soetoro, était lui-même musulman. »

Après la classe préparatoire, Barry effectue l'équivalent du CE1 et du CE2 dans une école publique fondée par les colons néerlandais, l'École Menteng 1, où l'élite indonésienne a été formée, après entrée sur sélection. Selon deux de ses professeurs, Obama était bel et bien inscrit comme musulman ; aussi fallait-il déterminer quels cours religieux les enfants allaient suivre : catholicisme ou Islam.

Ces événements d'enfance et le rapport à la religion d'un petit garçon de moins de dix ans peuvent paraître anecdotiques. Mais, dans l'Amérique de l'après 11-Septembre, qui plus est lorsque l'on postule pour la plus haute fonction gouvernementale, le passé de Barack Obama est décortiqué. Dans le cadre de la campagne électorale[2], il devient fondamental de savoir s'il est chrétien ou musulman. De son éducation religieuse ou laïque, Barack Obama veut surtout que l'on retienne la tolérance prônée par sa mère[3], selon lui « témoin solitaire de l'humanisme laïque ».

---

1. *Ibid.*
2. Voir chapitre 10.
3. Ann Dunham est décédée le 7 novembre 1995, des suites d'un cancer à l'âge de cinquante-deux ans. Obama en parle souvent lors de ses meetings, pour fustiger la bureaucratie et l'inefficacité du système d'assurance santé.

Ann, mère aimante

Alors que son beau-père Lolo n'affiche aucun sentimentalisme ou idéalisme, apportant à la famille pragmatisme et sens pratique, Ann – étrangement baptisée Stanley Ann par ses parents, qui rêvaient d'un garçon – est philosophe et porte un doux regard sur la vie. Elle donne à Barack un socle de valeurs fortes, auquel il demeure aujourd'hui attaché. Son deuxième livre, paru en 2006, est dédié à sa mère, « dont le courage et l'amour me soutiennent encore ».

Ann Dunham n'est pas croyante. Mais, extrêmement ouverte, elle a lu tous les grands philosophes avant l'âge de seize ans. Étudiante en anthropologie, elle est fascinée par les cultures qui ne sont pas les siennes. Elle s'attache à élever Barack dans le respect des religions et des traditions, mais sans le lier à l'une d'entre elles en particulier. En Indonésie, elle se lève tous les matins à 4 heures pour enseigner trois heures durant l'anglais à son fils. Surtout, elle tient à lui faire comprendre son ascendance africaine. « Être noir, c'était bénéficier d'un grand héritage, une destinée particulière et des fardeaux glorieux que nous seuls, les forts, pouvons porter », lui dit-elle. Selon Obama, elle le met également en garde contre les méfaits des Américains expatriés et lui demande de respecter les Indonésiens et leur culture. « Ma mère veillait toujours à se distinguer des Américains expatriés, révèle le sénateur. Elle se sentait embarrassée par ceux qui ne se rendaient jamais dans un restaurant local, qui ne côtoyaient jamais les Indonésiens ou qui adoptaient un comportement supérieur[1]. »

Lorsque Obama évoque les derniers jours de sa mère à l'hôpital, notamment afin d'illustrer la faillite du système de santé, il ne cache ni ne feint son émotion, même dans des meetings électoraux. « C'est toujours difficile de parler de sa mère d'une façon objective, explique-t-il à un journaliste américain. C'était juste une personne très douce. Elle adorait

---

1. « When Barry became Barack », *Newsweek*, 31 mars 2008.

ses enfants plus que tout. Et vous savez, elle était une mère toujours présente, elle s'évertuait vraiment à être votre soutien le plus fort, affichant une sorte de confiance en vous qui prouvait combien vous étiez particulier pour elle. Avec elle, on ne souffrait donc d'aucun manque d'estime de soi[1]. » « Je sais qu'elle était l'être le plus noble, le plus généreux que j'aie jamais connu, et que c'est à elle que je dois ce que j'ai de meilleur en moi[2] », écrit même Barack Obama dans une préface à la nouvelle édition de ses mémoires.

Ann était une « libérale », comme on dit aux États-Unis. Assez à gauche, idéaliste politiquement. Sa fille Maya se souvient de sa collection de poupées de toutes les couleurs de peau ! Dans son deuxième livre, Obama rend longuement hommage à sa mère : « Pourtant, malgré le laïcisme qu'elle professait, ma mère était à de nombreux égards la personne la plus éveillée à la spiritualité que j'aie connue. Elle avait un instinct infaillible pour la gentillesse, la charité et l'amour, et passait une grande partie de sa vie à se fier à cet instinct, parfois à son détriment. Sans le secours de textes religieux ou d'autorités extérieures, elle a grandement contribué à instiller en moi des valeurs que beaucoup d'Américains apprennent au catéchisme : honnêteté, empathie, discipline, gratification différée, travail. Elle s'indignait de la pauvreté et de l'injustice, et méprisait ceux qui y étaient indifférents. » Il poursuit, ému : « Ce n'est que rétrospectivement, bien sûr, que je me rends pleinement compte de la profonde influence que son esprit a eue sur moi[3]. »

Retour à Hawaii

La parenthèse indonésienne aura duré quatre ans. Barry revient à Hawaii en 1971. Seul. Sa mère a décidé de l'envoyer

---

1. David Mendell, *Obama, from promise to power*, Amistad, 2007.
2. *Les Rêves de mon père, op. cit.*, p. 12.
3. Barack Obama, *L'Audace d'espérer, op. cit.*, p. 210-211.

terminer sa scolarité aux États-Unis. À l'âge de dix ans, il découvre réellement la vie dans l'archipel. Durant les années qui suivront, jusqu'à l'équivalent du bac, Barry Obama est élevé par ses grands-parents maternels. Blancs. Madeleine Dunham est vice-présidente d'une banque. Stanley, lui, est vendeur. La « petite famille » reconstituée vit dans un appartement de taille moyenne, avec deux chambres, en plein centre-ville de Honolulu.

Ann connaît la réputation du lycée Punahou, un établissement privé, l'un des meilleurs de l'État, connu pour la qualité de son enseignement et son encadrement strict. Trois mille six cents élèves s'y côtoient, de toutes couleurs de peau. À Hawaii, la norme, c'est la diversité, le métissage. Polynésiens, Asiatiques, Européens y vivent dans le respect mutuel. « C'était un bon *melting pot*, se souvient Eric Smith, un camarade de classe d'Obama. Tout le monde s'entendait bien[1]. » Dans son autobiographie, le sénateur relate toutefois quelques discriminations dont il aurait été victime. Pas profondément racistes ; plutôt des réactions typiques d'adolescents, qui visaient par exemple à se moquer de son nom. Mais il confesse qu'il était globalement traité comme les autres. « J'ai essayé de grandir comme un homme noir en Amérique ; et, au-delà de l'apparence qui m'a été donnée, personne autour de moi ne semblait savoir réellement ce que cela signifiait. »

« Barack est un *melting pot* à lui tout seul. Pour lui, les différences raciales n'ont aucune importance », juge Larry Tavares, un autre élève de l'établissement au cours des mêmes années que Barack Obama. « Pour lui, il était normal. Je pense qu'il se sentait bien intégré et, à vrai dire, comme un local. » Obama s'émancipe surtout à l'intérieur du rectangle du terrain de basket. Habile au lancer, il est surtout un compétiteur dans l'âme. Larry était l'un de ses coéquipiers. Il se souvient surtout d'un adolescent « à l'attitude plutôt cool »

---

1. « Obama had multiethnic existence in Hawaii », Associated Press, 6 février 2007.

sur le terrain. « C'était un vrai fan. On parlait des équipes, des derniers résultats des clubs professionnels. » Aussi, « il était cool en dehors du terrain. Le genre de type très abordable et agréable à côtoyer. Aujourd'hui, on est tous très fiers de lui[1] ».

S'il paraît « cool », Barry se pose déjà des questions propres à son identité. Les premières fréquentations, les filles notamment, le renvoient à sa capacité d'adaptation. Un jour par exemple, une rousse lui demande si elle peut toucher ses cheveux. « Je me souviens qu'on parlait des filles, confie Darin Maurer, un autre camarade de l'époque. Mais surtout, nous parlions à longueur de temps de basket[2]. » Darin partage la même passion. Pendant sept ans, ils jouent dans la même équipe, représentant le lycée dans des compétitions régionales. « On se demandait comment on pouvait progresser techniquement, on suivait les mêmes équipes professionnelles. » Barry était « bien intégré », grâce au basket-ball, selon Darin Maurer, aujourd'hui pasteur à la Grace Bible Church, dans la région de Houston, au Texas.

Darin possédait un van. Barry n'avait pas besoin de véhicule, habitant à peine à dix minutes à pied du lycée. « Mais ce van offrait la possibilité de traîner ensemble. On écoutait à fond Earth, Wind and Fire, l'un des groupes noirs les plus disco et funk des années 1970. Je vais vous raconter une anecdote qui explique bien le sens de l'humour de Barry. On écoutait tout le temps la chanson des Bee Gees, "More Than a Woman". Barry avait changé les paroles en "Bold Headed Woman[3]". Pendant longtemps j'ai cru que c'était les vraies paroles ! » Darin Maurer en rit encore. Il se souvient bien des grands-parents et de la sœur d'Obama. Mais il ne conserve à l'esprit aucun commentaire au sujet de ses parents. « Non, il n'en parlait pas », dit-il. Pas plus

---

1. Entretien téléphonique avec l'auteur, 27 février 2008.
2. Entretien téléphonique avec l'auteur, 11 avril 2008.
3. « More Than a Woman » : « Plus qu'une femme ». « Bold Headed Woman » : « Femme au crâne chauve ».

que de religion, dans un lycée pourtant fondé par des missionnaires chrétiens en 1941.

Dans les années 1970, Hawaii était perturbée par des remous identitaires, les natifs de l'archipel se sentant sous la pression des Blancs et des Noirs. C'est dans ce contexte, à la fois protégé par l'environnement et exposé aux autres par sa différence, qu'Obama mesure le fait de s'appeler Barack et non Barry. Un autre camarade de Punahou, Keith Kakugawa[1], se souvient d'un après-midi à la bibliothèque : « Il a pris un livre de Malcom X et commence à le parcourir. Je lui ai dit : "Attends une minute, *man*. Qu'est-ce que tu vas faire ? Changer ton nom en quelque chose de musulman ?" Il a dit : "Ben, mon nom est Barack Obama." Et j'ai répondu : "Non, ce n'est pas vrai[2]." » Ni Darin ni Larry ne se souviennent d'avoir effleuré le sujet. « D'ailleurs, si je le revois, je lui demanderai si je dois l'appeler Barry ou Barack », plaisante à moitié Darin Maurer.

Los Angeles : drogues, politique et identité

Honolulu – Los Angeles : mêmes palmiers, même océan Pacifique, même soleil. Le sud de la Californie a bien un petit air d'Hawaii. Pour autant, Barack Obama ne traverse pas une transition facile. La faute à un âge où l'on se cherche, surtout lorsqu'on ne connaît pas son père. Pour ses deux premières années à l'université, l'Occidental College présente un avantage important aux yeux des grands-parents de Barack et de sa mère. Il s'agit d'un établissement à taille humaine, loin des immenses campus comme celui

---

1. Keith semble apparaître sous les traits de « Ray » dans *Les Rêves de mon père*. Keith, très proche d'Obama à Hawaii, est ensuite devenu consommateur et revendeur de drogues. Arrêté plusieurs fois, il est sorti de prison au printemps 2007. Il indique avoir parlé au téléphone à Obama, qui se serait montré « surpris mais gêné » (Associated Press, mai 2007).
2. « When Barry became Barack », *Newsweek*, 31 mars 2008.

de l'Université de Californie, à Los Angeles. Néanmoins, il se situe au sein d'une agglomération gigantesque, la deuxième du pays après New York, où, comme à Hawaii, toutes les ethnies sont représentées.

« Oxy », comme il est surnommé par ses habitués, est caché entre les collines des environs immédiats de Los Angeles, près de Glendale. Les pavillons qui entourent le campus sont relativement cossus. On est surpris par l'ambiance calme, presque champêtre qui y règne. À l'entrée, une grande sculpture moderne fait office de fontaine. À droite, une pelouse immaculée. À gauche, un terrain de football et une piste d'athlétisme à faire rougir la moindre municipalité française, puis la piscine. Des bâtiments de différentes tailles se succèdent harmonieusement, séparés par de grands platanes.

À l'époque, l'université compte environ 1 700 étudiants. La grande majorité d'entre eux sont blancs. Seuls 18 % sont catégorisés comme « minorités ». Aujourd'hui, le campus ressemble à la population de Los Angeles : un grand mélange ! Roger Boesche a connu les deux époques. Arrivé à Occidental College en 1977, il y enseigne toujours les sciences politiques. Plus particulièrement la politique américaine et la pensée politique américaine, ainsi que la philosophie politique européenne. Dans son petit bureau où un canapé peut accueillir les invités, ce corpulent sexagénaire à la tignasse blanche, aux lunettes cerclées dorées et à la chemisette à carreaux se remémore avec plaisir l'élève Obama.

Sur le plan scolaire, il est sérieux. « Je lui donnais habituellement de bonnes notes, raconte aujourd'hui Roger Boesche[1]. Je crois qu'il appréciait mes cours, même si c'était quelqu'un de discret. » « Professor Boesche » enseigne alors la période qui s'étend de la Constitution américaine (1787) au New Deal de Franklin Roosevelt (1933-34). « Oxy est un chouette petit établissement. Nos étudiants viennent ici pour recevoir un savoir dans tous les

---

1. Entretien avec l'auteur, 11 avril 2008.

domaines académiques autant que pour le sport après le lycée, afin de se déterminer en vue de leurs futures études. » Roger a vite remarqué ce « freshman » : « Nous n'avions pas beaucoup d'étudiants noirs. Et puis, il avait un nom marrant. Il était intelligent. »

Le séjour à Los Angeles, pour Obama, est une période cruciale, au cours de laquelle il se révèle à lui-même. Intimement et politiquement. « À Occidental, je me sentais dans une impasse, livre-t-il. D'une certaine façon, je ressentais le besoin de me connecter avec quelque chose de plus grand que moi[1]. » Le jeune homme force le trait pour paraître « cool », comme la plupart des adolescents en recherche d'identité. Celui que l'on appelle encore Barry va, d'une certaine façon, se réinventer. « C'est là-bas que j'ai réellement pris conscience de vouloir grandir. »

Lorsqu'il débarque à Los Angeles, Obama fait la connaissance d'Eric Moore, avec qui il restera ami très longtemps, avant que les hasards de la vie les séparent, puis les rassemblent de nouveau. « Il était clairement plus bavard que la plupart des gamins californiens, se souvient Eric. Mais il avait clairement le look du surfer. » Barry traîne ses tongs dans les allées, portant souvent des T-shirts et shorts de style hawaiien. Une nouvelle fois, le jeune Obama se fait surtout remarquer... sur les terrains de basket. Sous le panier, il s'éclate. S'émancipe. Prend confiance. La confrontation physique qu'exige ce sport, souvent en face à face, alliée à l'esprit d'équipe, plaît à Barry. Les tirs ajustés et surtout l'esquive et les feintes sont ses points forts.

Mais, au-delà du nonchalant baba cool qu'il semble être, le jeune Obama vit une intense maturation. Un père noir qu'il ne connaît pas, une mère blanche, une enfance en Indonésie et à Hawaii : les questions identitaires qui l'assaillent sont légitimes. Plus que jamais à la recherche de ses racines, c'est avant tout au sujet de son nom qu'il prend une première décision d'importance. Barry ne veut plus

---

1. « When Barry became Barack », *Newsweek*, art. cit.

s'appeler Barry. Après tout, il porte le même prénom que son père. Un prénom africain, qui plus est. Eric se souvient d'une conversation au détour d'une allée du dortoir.

— Quel genre de nom c'est, « Barry », pour un « frère » ? lance perfidement Moore.

— En réalité, je m'appelle Barack.

— C'est un nom très fort, juge Eric.

Si Barack Obama se dévoile ainsi à ce camarade, c'est parce qu'ils ont un point commun : l'Afrique. Durant l'été 1980, Eric Moore s'était rendu au Kenya dans le cadre d'un programme humanitaire rassemblant des adolescents. La terre des ancêtres de Barack. Ce voyage avait fortement marqué le jeune homme : « Ce séjour m'a aidé à trouver mon identité, confie-t-il à Obama. Je crois que pour un Afro-Américain, retourner en Afrique est une expérience puissante. C'est comme aller en Israël quand tu es juif[1]. » En signe d'amitié et de respect, Eric devient la première personne à appeler Obama par son vrai prénom[2]. Les autres continuent de l'appeler Obama ou Barry.

La quête d'identité de Barack Obama passe également par la tentative d'expériences plus extrêmes. Dans ses premiers mémoires, celui qui n'a pas encore brigué de poste électif va donner à son passage dans la Cité des Anges des contours dramatiques. Il y confesse la consommation de drogues. Ces aveux, très rares chez les hommes politiques de nos démocraties occidentales, ne font l'objet que d'une page. Il y parle de « mauvaises décisions » prises, en évoquant la consommation de marijuana, d'alcool et « parfois de cocaïne ». Cette période a débuté au lycée, à Hawaii, et, selon son auteur, s'est prolongée en Californie. Barack Obama se souvient d'avoir « fumé dans le dortoir avec un frère » et d'avoir « plané ».

Fait intéressant, aucun de ses camarades de l'époque ne se souvient de cette consommation de drogues, dures ou douces, ou même d'alcool. Plusieurs hypothèses à cela :

---

1. *Ibid.*
2. « Barack » signifie « béni ».

Barack Obama était discret et « planait » en secret. Ou bien, plusieurs décennies plus tard, les mémoires des uns et des autres se sont altérées. Peut-être même le jeune auteur a-t-il un peu dramatisé les choses, pour les rendre plus romanesques. Car la grande majorité de ses camarades étudiants garde le souvenir d'un jeune homme sérieux, équilibré et facile d'approche.

C'est le cas de Vinai Thummalapally. Pour lui, Obama vivait de façon très saine. « Si quelqu'un lui passait un joint, il tirait une bouffée. On fumait, on buvait une bière de plus, mais on n'en faisait pas autant que beaucoup de monde dans le campus », se souvient-il[1]. Maya défend son frère : « Ce n'était pas un accro ni un dealer. C'était un gamin qui recherchait des réponses. » Barack Obama indique qu'il a arrêté toute consommation de produits illicites dès son arrivée à New York, après 1981. Surtout, il parle de drogue pour mieux les condamner et mettre en perspective une peur : celle de flancher, de tomber. « Junkie. *Pothead*. C'est là que je me dirigeais, écrit-il. Le stade final, le rôle fatal du jeune homme noir que j'allais devenir [...]. Je me shootais pour faire sortir de ma tête mes questions identitaires. » Fumer pour oublier. Fumer pour chercher.

L'épisode de la drogue ne pouvait bien évidemment pas passer inaperçu en pleine campagne électorale. On se souvient du « J'ai fumé, mais pas inhalé » de Bill Clinton en 1992. Face aux allusions de « drogué » formulées par un membre de l'équipe d'Hillary Clinton, au cours de la phase des primaires[2], le candidat Obama revient sur cet épisode de sa vie. Devant les lycéens de la Central High School de Manchester, dans le New Hampshire, suite à la question d'un adulte sur ses années d'étudiant, Obama ne se dérobe pas : « J'avoue qu'au lycée, j'étais du genre problématique, comme disait ma mère. Vous savez, j'ai pris de mauvaises

---

1. « Friends say drugs played only bit part for Obama », *New York Times*, 9 février 2008.
2. L'homme a été congédié le lendemain de sa déclaration.

décisions, dont j'ai d'ailleurs déjà parlé. Je me suis mis à boire. J'ai fait l'expérience de la drogue. C'était une période de ma vie où je ne m'aimais pas beaucoup. Ce n'est qu'en terminant le lycée et en entrant à l'université que j'ai réalisé, "mec, j'ai perdu beaucoup de temps"[1]. »

Dans la période 1979-1981, à l'Occidental College, Obama se décrit comme « aliéné ». Mais il se libère peu à peu, s'ouvrant au monde et aux événements politiques internationaux. C'est véritablement le début de son éducation politique, au sens large : il s'intéresse aux questions de l'apartheid en Afrique du Sud et de la pauvreté dans ce qu'on appelle alors le tiers-monde. Dans les dortoirs, Barack et ses amis refont le monde au son de Led Zeppelin, des Rolling Stones ou des B-52's. Dans l'Amérique de Jimmy Carter, l'invasion de l'Afghanistan par l'Armée rouge, le choc pétrolier, ou encore le débat sur le service militaire obligatoire sont des sujets récurrents.

« Il parlait aussi beaucoup des régimes militaires en Amérique latine, comme au Salvador ou au Guatemala », ajoute Roger Boesche. La cantine est le lieu idéal pour débattre à l'heure du déjeuner : il y est facile de coller les tables les unes aux autres et de refaire le monde tout l'après-midi. « Il fréquentait toujours les étudiants les plus brillants, confie-t-il. Ces gars étaient très intéressés par l'injustice sociale et étudiaient de façon sérieuse[2]. » Pour la plus grande fierté de ce spécialiste d'Alexis de Tocqueville, Obama s'intéresse aussi à la philosophie et lit Friedrich Nietzsche, Michel Foucault et Jean-Paul Sartre.

John Boyer, qui logeait dans une chambre du même couloir que Barack Obama, se souvient d'un jeune homme qui aimait prendre la parole. « Quand il parlait, c'était un "moment E. F. Hutton" : les gens écoutaient[3]. Il soulignait

---

1. Associated Press, 20 novembre 2007.
2. Entretien avec l'auteur, 11 avril 2008.
3. Par allusion au slogan de la banque d'investissement E. F. Hutton & Co., à l'usage de ses courtiers, dans les années 1970 et 1980, « *When E. F. Hutton talks, people listen* » (« Quand la E. F. Hutton parle, on écoute »).

les points négatifs d'une politique et pesait ses conséquences et éclairait les complexités d'une question d'une
façon qu'aucun autre ne savait le faire. Et il avait un très
bon sens de l'humour. »

Son engagement politique devient également plus
concret, au-delà des joutes oratoires de campus. Le jeune
Africain-Américain s'implique dans la Black Students Association (l'Association des étudiants noirs), notamment dans
une campagne destinée à forcer l'université à rompre ses
liens économiques avec les entreprises qui commercent
avec l'Afrique du Sud. Lui-même parle de « positionnement
radical que nous voulions maintenir ». Son engagement
pour la cause africaine se traduit également par les cour-
riers qu'il adresse aux membres de l'African National
Congress (le parti politique de Nelson Mandela), afin de les
inciter à venir tenir des conférences à Los Angeles et à
publier des articles dans le journal de l'université.

Rebecca Rivera, une latino-américaine membre d'une
association d'étudiants hispaniques, se rappelle d'un discours de Barack Obama lors d'une manifestation sur le
campus. « Il comprenait clairement notre responsabilité
sociale et la façon dont l'argent de la fac avait des répercussions sur la vie quotidienne des Noirs en Afrique du
Sud, empêchant ce pays d'avancer. Il y avait de la passion
dans ses discours, absolument, mais ils n'étaient pas le
moins du monde incohérents. »

Eric Moore se souvient, quant à lui, d'une manifestation
contre l'apartheid que le président de l'université cherchait
à interdire. Le rassemblement s'est finalement tenu tout à
côté du bureau de ce dernier, et Eric, qui devait prendre la
parole, s'est montré pour le moins nerveux, car tous les étudiants présents risquaient l'expulsion. Quand Obama est
monté sur le podium, tout le monde s'est tu. « Il avait déjà
cette voix explosive et cette présence qui faisaient de lui quelqu'un de connu sur le campus[1]. » Barack Obama lui-même se

---

1. « When Barry became Barack », *Newsweek*, art. cit.

souvient parfaitement de cet épisode. Dans son autobiographie, il le considère même comme sa première expérience de discours, qui lui fit prendre conscience de l'impact que pouvaient avoir les mots, voire sa personnalité, sur les gens. « J'entendais mes mots rebondir sur la foule et me revenir en applaudissements. » Mais, plus loin, il confesse que tout n'était pas aussi sérieux. Qu'il s'intéressait ce jour-là plus à lui-même qu'à la cause qu'il venait défendre à la tribune. Il n'empêche, un homme politique de talent s'est éveillé. Barack Obama, en 1981, a tout juste vingt ans.

« Je pense qu'il y avait beaucoup de choses qui se passaient en moi, dit aujourd'hui Obama. À la fin de cette année-là, à Occidental, je crois que je commençais à y voir plus clair. » L'idée de voler de ses propres ailes, ailleurs, s'ébauche dans sa tête. Ainsi que celle d'imposer enfin son véritable prénom. « Ce n'était pas tant une volonté d'affirmer mes racines africaines ; non, ce n'était pas racial. C'était beaucoup plus une affirmation de mon âge, du fait de me sentir plus à l'aise, différent des autres, et de ne plus avoir à essayer de me comporter de telle ou telle façon[1]. »

« Oxy » et Los Angeles deviennent donc rapidement bien trop petits pour Obama. Eric Moore essaie certes de le convaincre de poursuivre son cursus à l'Occidental College, mais Barack voulait se tester dans un endroit plus urbain, plus intense et plus polyglotte. Ce sera New York. « C'était un crève-cœur d'écrire cette lettre de recommandation à destination de Columbia », regrette Roger Boesche. Obama est sélectionné par la prestigieuse université grâce aux bonnes notes obtenues à Oxy. Ce sera un autre tournant important. Boesche se console aujourd'hui, à la lecture d'un courrier électronique envoyé par Barack Obama en avril 2004 : « Cher professeur Boesche, [...] votre cours m'a aidé à être sur le chemin que je réalise actuellement. Chaleureusement. »

---

1. *Ibid.*

3

Un parcours initiatique

Barack Obama reste discret sur son époque new-yorkaise. Que ce soit dans ses deux autobiographies ou dans ses déclarations, le sénateur se livre peu, évoquant simplement une étape intermédiaire dans sa vie, certainement moins importante que son enfance, que son travail dans les rues de Chicago ou que le poste de rédacteur en chef qu'il occupait dans la revue de droit de Harvard. Pourtant, les années 1981-1984 constituent indiscutablement une charnière dans le parcours du jeune homme.

Un étudiant modèle

East 94th Street, à Manhattan. Barack a vingt ans lorsqu'il débarque à New York en août 1981, en provenance de Los Angeles. Il sous-loue un appartement pendant un temps avec un certain Sadik, jeune homme d'origine pakistanaise. Avec tous leurs voisins portoricains, les soirées sont joyeusement animées. Les conversations portent sur les performances des Knicks, l'équipe de basket de la Grosse Pomme. Ou sur les coups de feu entendus dans le quartier. « Je saisissais à présent avec quelle précision quasi mathématique les problèmes raciaux et les problèmes de classe de l'Amérique se rejoignaient, écrit Barack Obama ; l'intensité, la férocité des guerres tribales qui en étaient le résultat ; la bile qui coulait non seulement dans les rues, mais aussi dans les toilettes de Columbia [...], où les murs étaient en permanence recouverts par les graffitis de la correspondance entre "nègres" et "youpins".[1] » L'expérience de la rue, Obama déclare l'avoir connue au moins pendant une nuit, celle de son arrivée à New York. Il l'aurait passée dans une allée, entre Amsterdam Avenue et la 109e Rue, incapable de rejoindre son appartement. Selon lui, il aurait fait sa toilette dans un caniveau, en compagnie d'un sans-logis.

Outre l'apprentissage de la vie dans le New York des années 1980, où la délinquance était bien plus manifeste qu'aujourd'hui, Barack Obama se consacre à ses études. Intégralement. Pas de petites copines connues. Des bouquins, des bouquins, encore des bouquins. « Je passais énormément de temps à la bibliothèque, se souvient-il. Je ne fréquentais pas grand monde. J'étais comme un moine[2]. » À Columbia, il sort major en sciences politiques et en relations internationales. Son mémoire porte alors sur le désarmement nucléaire de l'Union soviétique. Nous sommes au début du premier mandat de Ronald Reagan et à la fin du règne de Leonid Brejnev. Les chutes du mur de Berlin et de l'empire soviétique ne sont encore que des fantasmes : la guerre froide – ou ce que l'on a appelé la « coexistence pacifique » – est, croit-on, durablement installée.

C'est à peu près tout ce que l'on sait du Barack Obama étudiant à Columbia. Le candidat démocrate a plusieurs fois refusé de parler de ses années new-yorkaises, de divulguer son dossier universitaire ou même de citer le nom de camarades de fac. Il raconte néanmoins qu'il courait plusieurs kilomètres par jour et qu'il avait pris la décision « d'arrêter de planer », en référence aux drogues qu'il consommait depuis le lycée. « Il ne se souvient pas de

---

1. Barack Obama, *Les Rêves de mon père*, *op. cit.*, p. 140.
2. « Memories of Obama in New York differ », *New York Times*, 29 octobre 2007.

beaucoup de noms de cette période de sa vie », affirme Ben LaBolt, une porte-parole de la campagne[1]. Point. Fermez le ban.

« *Consultant en finance* »

« Vraiment, je ne me souviens pas de la première fois que je l'ai vu. Mais de la dernière, ça, oui ! » Lorsque l'on évoque Barack Obama, Dan Armstrong n'a pas totalement la mémoire qui flanche. Tous deux étaient collègues. À peine sorti de Columbia, en 1983, Obama intègre Business International. Il a vingt-deux ans et il y restera un an et demi. Un nom prestigieux... mais qui ne dit pas grand-chose. Les locaux, assez modestes, sont situés entre la 2e Avenue et la 48e Rue, à deux blocs de l'East River, juste derrière le complexe des Nations unies. « C'était vraiment l'endroit et l'époque où tout le monde était en costume, à l'âge où les firmes américaines internationales étaient vraiment dominantes[2] », se souvient Dan.

« La dernière fois que nous avons parlé ensemble, c'est lorsqu'il m'a annoncé qu'il quittait la boîte, reprend Dan, aujourd'hui journaliste dans le groupe The Economist, qui a racheté Business International. Je ne m'y attendais pas. Surtout qu'il a lâché la proie pour l'ombre. Je veux dire qu'il n'avait pas d'autre job en vue. Moi, même si j'avais presque dix ans de plus que lui, j'aurais été tétanisé de peur. » Selon Dan Armstrong, la fonction qu'occupait le jeune Obama n'était pas élevée. « Je ne dirais pas secrétaire, mais presque, se souvient-il. En fait, il faisait pas mal de correspondance. »

Dans son autobiographie, Barack Obama ne cite pas le nom de l'entreprise. Il indique qu'il s'agit d'une firme de consulting dans la finance. Selon Dan, qui conserve un ton modéré lorsqu'on l'interroge, « ce n'était pas cela du tout.

---

1. *Ibid.*
2. Entretien téléphonique avec l'auteur, 24 janvier 2008.

Nous n'étions pas dans la finance à proprement parler, révèle-t-il. Certainement pas au sens où Barack Obama en parle. Nous publiions une newsletter et faisions des recherches. » Obama, selon son collègue, a bien écrit quelques articles pour ladite newsletter. « Mais ce n'était pas son job quotidien. Cela prouve en tout cas qu'il avait de l'ambition. Il s'est porté volontaire pour faire cela, même s'il n'avait manifestement que peu d'intérêt pour la finance, puisqu'il est parti. »

En fait, Business International était une petite structure. À peine deux cent cinquante employés dans le monde[1]. Au siège new-yorkais, l'ambiance n'était pas vraiment à l'acharnement au travail, estime aujourd'hui Armstrong. « C'était plutôt le genre hippie. Nous étions plusieurs jeunes. Parfois, on finissait la journée par des pots et certains allaient fumer de l'herbe sur le toit de l'immeuble. » Obama était-il de ceux-là ? « Pas du tout ! s'exclame Dan. En fait, il était quelqu'un de très poli, je dirais même réservé. Pas secret, pas timide, mais réservé. Il n'avait aucun copain dans la boîte. » Asocial ? « Non, je pense que les gens l'aimaient bien, car il était très courtois. Mais il ne faisait pas d'effort particulier pour être en relation avec les autres », précise le journaliste.

Dan nous en apprend tout de même un peu plus sur la personnalité d'Obama à cette époque. Notamment sur son aisance avec ceux qui avaient fait de longues études. « Educated », comme on dit en anglais. « Je le considérais comme un yuppie. » Ce terme désigne généralement les jeunes blancs anglo-saxons protestants (WASP) qui travaillent à Wall Street. « Il avait été à Columbia, il était très pro. Bref, il avait un peu le même profil que moi, même si je suis plus conservateur que lui. » Au bureau, Barack Obama ne parle pas de politique. Mais il faisait manifestement preuve d'ambition. Selon son collègue, le fait de quitter un travail pour faire autre chose, sans véritablement savoir quoi, en est la confirmation.

---

1. « Memories of Obama in New York differ », art. cit.

En revanche, ce qui gêne Dan Armstrong – qui se déclare aujourd'hui « fan d'Obama » et qui a voté pour lui lors de l'élection primaire dans l'État de New York –, c'est la façon dont « l'auteur » Obama a « embelli » dans son livre son passage chez Business International. « Honnêtement, je ne comprends pas pourquoi il a fait cela. Nous n'étions absolument pas dans la finance à proprement parler, nous ne portions pas de costumes au bureau. Et son rôle n'était certainement pas celui d'un consultant ! » Bref, voici le candidat à la présidence pris en flagrant délit, si ce n'est de mensonge, de petits arrangements avec la vérité. « Je pense simplement qu'il a amélioré la vérité, pour faire bien dans son livre. Pour rendre la narration plus efficace », estime Dan. Car juste après son passage par la case « finance » à New York, Obama partira pour Chicago, où il deviendra travailleur social dans les quartiers difficiles[1]. « Il tranche ainsi. Il indique qu'il quitte la "finance" et les gens conservateurs en costume-cravate pour aider les pauvres. Cela fait mieux », lance Dan Armstrong. Cinglant ? « C'est juste la vérité. Je ne comprends pas pourquoi il fait cela, c'est tellement facile de vérifier. Mais cela montre qu'il était ambitieux... Et notez bien, s'il vous plaît, que je suis un fan ! »

Cathy Lazere conserve, elle aussi, un souvenir plutôt positif de Barack Obama. À l'époque, elle était son superviseur direct chez Business International. C'est elle qui l'a d'ailleurs embauché. « Je me souviens d'un garçon brillant et très cérébral[2]. » Aujourd'hui journaliste indépendante spécialisée dans la finance, elle dirigeait à l'époque plusieurs publications, dont Business International. Elle avait placé une petite annonce à Columbia et recrutait régulièrement des jeunes qui « se faisaient les dents », avant de repartir au bout d'un an ou deux. Obama était l'un de ceux-là. « Son parcours m'avait interpellée, poursuit-elle. Le fait qu'il ait vécu en Indonésie, qu'il ait fait ce lycée

---

1. Voir plus loin dans ce chapitre.
2. Entretien téléphonique avec l'auteur, 22 février 2008.

prépa très favorisé à Hawaii avec une matière majeure en littérature... Outre qu'il parlait très clairement, il m'a tout de suite paru très confiant. »

Pour autant, le job offert au jeune Obama n'était pas très ardu, selon l'ancienne rédactrice en chef. « C'était un bon poste pour commencer dans la boîte. En gros, il faisait surtout de la recherche et des rapports », précise-t-elle en confirmant ainsi le témoignage de Dan Armstrong. « Il interviewait des P-DG, puis mettait le texte en forme pour le journal. » Au cours de la conversation, Cathy Lazere souligne le caractère intellectuel de Barack Obama et le fait qu'il était « plus sophistiqué que la plupart de ses collègues », ce qui explique, selon elle, qu'il ne fréquentait personne en dehors des heures de bureau. « Vous savez, glisse-t-elle presque sur le ton de la confidence, l'ambiance n'était pas du tout conventionnelle. C'était un peu particulier, pas du tout comme dans le monde des grandes entreprises, mais plutôt comme dans un journal... »

Cette description tranche décidément avec le récit que le sénateur livre dans ses mémoires. Pour Cathy Lazere, il s'agit même d'un « roman ». « Je crois que c'est comme cela qu'il faut le prendre. J'ai évidemment lu attentivement les passages qu'il consacre à Business International, et ce qu'il relate ne correspond pas à la réalité. » Pourtant, cela ne gêne pas cette ancienne supérieure de Barack Obama. Car le jeune auteur – il a trente-deux ans lorsqu'il écrit son autobiographie – a pris la précaution d'avertir le lecteur en avant-propos. Il y indique qu'il a changé le nom des protagonistes et qu'il a synthétisé certains événements et personnes. En clair, un personnage pouvait en réalité être deux personnes dans la vraie vie. « Les médias présentent son livre comme des mémoires, mais je crois sincèrement qu'il faut voir cela comme une vie romancée, comme l'avaient fait de nombreux auteurs noirs ayant écrit sur leur recherche d'identité. » Et Cathy Lazere de citer *Invisible Man* de Ralph Ellison.

La journaliste confesse elle aussi admirer Barack Obama. Elle a suivi de près sa carrière politique et a été « très impressionnée par son discours devant la Convention démocrate de 2004[1] ». Elle juge même que son style, à l'occasion de ses discours, est conforme à sa personnalité. « C'est lui qui les écrit, c'est évident », affirme-t-elle. Mais cette démocrate a voté... pour Hillary Clinton lors des élections primaires ! « Je pense qu'elle avait de meilleures chances que lui d'être élue face au candidat républicain », explique-t-elle.

Dans les rues de Chicago

The Loop. Le centre-ville de Chicago. Ce cœur historique, qui fait une boucle autour de la rivière, à l'intérieur du cercle décrit par le vieux métro aérien. Ici, c'est le Chicago « business », riche, chic, culturel, touristique. Michigan Avenue, le Pier et la tour Sears, le plus haut gratte-ciel d'Amérique. Au nord, les bobos y ont élu domicile. Ravissants petits immeubles de briques, jardinets, pistes cyclables, parcs... Ce quartier est majoritairement peuplé de Blancs, même si quelques Noirs ayant réussi socialement y habitent également. À l'ouest du centre-ville, on trouve aussi de nombreux quartiers hispaniques qui ne cessent de s'agrandir.

Et puis il y a le Chicago sud. La « South Side of Chicago », comme on dit. Pour s'y rendre depuis le centre, rien de plus simple : il suffit de prendre le métro, ligne rouge, direction le sud. Après une dizaine d'arrêts, on atteint le White Sox Stadium, l'antre des fameux White Sox, l'une des deux équipes de base-ball de la ville, adulée aux quatre coins du pays. La rame s'arrête à la station 35th Street. Tout le monde descend. Ou presque. Seuls les Africains-Américains restent jusqu'au terminus. Chicago sud est plus qu'un quartier : c'est l'équivalent, en surface comme en population, du centre-ville. Pas de ghetto, puisque les Noirs sont

---

1. Voir chapitre 6.

quasi majoritaires sur l'ensemble de l'agglomération. Mais
« une » partie de la ville reste toutefois assez nettement
séparée des quartiers blancs.

Cette frontière invisible, Barack Obama décide de la
franchir. Après l'expérience de Business International, le
jeune homme trouve un emploi de travailleur social à Chicago. Dans sa première autobiographie, Obama précise ses
intentions, mais reconnaît en filigrane qu'il ne sait pas très
bien pourquoi cette expérience le tente. Selon lui, l'idée a
germé lorsqu'il était étudiant. « En 1983, je décidai de devenir organisateur de communautés. Il n'existait pas beaucoup d'informations concrètes sur ce concept ; personne
de ma connaissance n'exerçait ce métier. Quand des amis,
à l'université, me demandaient quel était le rôle d'un organisateur de communautés, je n'étais pas capable de leur
répondre directement : je discourais sur la nécessité du
changement. Du changement à la Maison Blanche, où
Reagan et ses sous-fifres se livraient à leur sale besogne.
Du changement au Congrès, qui était complaisant et corrompu. Du changement dans l'état d'esprit du pays, obses-
sionnel et centré sur lui-même. Le changement ne viendra
pas d'en haut, disais-je. Le changement ne viendra que de
la base, c'est pourquoi il faut la mobiliser[1]. » Il s'agit bien là
d'une décision éminemment politique, à tel point qu'on
peut soutenir que, dix ans après sa rédaction, ce para-
graphe annonçait déjà le futur fondement de sa campagne
présidentielle.

Jerry Kellman est l'homme qui a embauché Barack
Obama à ce poste de *community organizer*[2]. Au sein de
Chicago Developing Communities Project, celui qui porte
aujourd'hui petites lunettes et cheveux gris avait vu arriver
un jeune adulte « idéaliste[3] » prêt à changer le monde. Ce
job n'offrait pourtant pas une rémunération de rêve :

---

1. Barack Obama, *Les Rêves de mon père, op. cit.*, p. 151.
2. Littéralement : « organisateur de communauté ».
3. « Hiring Barack Obama », Busted Halo.com, 2007.

10 000 dollars par an, soit un salaire mensuel de 833 dollars. Mais Kellman, juif converti au catholicisme et aujourd'hui directeur de la formation spirituelle de plusieurs paroisses de l'archidiocèse de Chicago, avait détecté chez ce jeune homme des qualités évidentes. À commencer par son intégrité. « Barack est venu en idéaliste, mais les rues de Chicago l'ont rendu pragmatique et réaliste », se remémore Kellman. D'ailleurs, cette formation humaine a beaucoup servi au futur sénateur. « Je ne suis pas étonné de l'engouement des gens pour Barack, dit-il en référence à sa campagne pour la présidence des États-Unis. Il s'est comporté avec intégrité et il a la discipline pour réussir dans sa carrière politique. »

Kellman a aujourd'hui perdu contact avec son ancien protégé. Il ne le regrette pas vraiment : « C'est la vie. On se recroisera », dit-il en buvant une gorgée de thé chaud, dans son petit bureau de la paroisse Saint Mary of the Woods, au nord de la ville[1]. Jerry évoque bien volontiers ses « années Barack ». Avec une tendresse certaine dans le regard et un vocabulaire précis, Jerry relate les premiers pas du jeune Obama dans sa vie d'adulte. Pendant trois ans et demi, l'homme va le chaperonner, dans sa formation professionnelle comme dans sa vie privée. Les deux travailleurs sociaux, séparés par une dizaine d'années d'écart, deviennent proches. Kellman est déjà marié, Obama sort avec quelques filles et s'interroge sur son avenir.

« J'avais envoyé une offre d'emploi dans les grands quotidiens du pays et dans les journaux spécialisés. Quelques jours plus tard, j'ai reçu le CV de Barack, se souvient Jerry Kellman. Son parcours était assez atypique, déjà sur le papier, étant né à Hawaii et ayant vécu en Indonésie. Puis, nous avons eu un entretien téléphonique d'une heure trente. À plusieurs reprises, Barack a évoqué son intérêt à travailler dans la communauté noire américaine. Mais je n'étais pas certain qu'il était noir. » Jerry Kellman sourit,

1. Entretien avec l'auteur, 10 mars 2008.

mesure son effet. « Ma femme était japonaise, reprend-il. Je lui ai demandé si "Obama" pouvait être japonais. Elle m'a répondu "oui", et d'ailleurs, en effet, il y a une ville au Japon qui s'appelle Obama. » Un mois plus tard, à l'occasion d'un voyage à New York, le chef de projet rencontre le jeune homme dans un café et découvre sa couleur de peau.

« Nous avons longuement discuté. Pour ce genre de travail, il faut bien peser la motivation du candidat. Il y a tant de jeunes gens qui se brûlent les ailes à force de penser pouvoir changer le monde en quelques semaines... Mais c'est un travail très laborieux, on travaille dans la misère et, de toute façon, ce n'est pas un job où l'on gagne. On perd, toujours. » Jerry Kellman insiste : il était essentiel pour lui de jauger Barack Obama, notamment sa solidité mentale et son appréhension de la dureté et de la possibilité de l'échec. « Il m'a paru très intelligent. Je l'ai embauché. » À l'époque, l'association ne compte que trois personnes, qui travaillent sans relâche seize heures par jour et six jours sur sept.

Obama s'installe donc à Chicago, dans les quartiers sud. Il vit dans un tout petit appartement, qu'il n'aménage presque pas. En fait, il ne s'en sert que pour dormir. Et les heures de sommeil sont rares. « Pendant plusieurs mois, il s'est donné corps et âme. » Mais *community organizer*, cela s'apprend. Barack assiste donc à de nombreux entretiens menés par Kellman avec des personnes défavorisées. Une douzaine par jour. « Il posait de bonnes questions », précise Kellman. Puis le jeune homme tape les rapports. Enfin, il est lancé dans le grand bain. Il doit d'abord synthétiser les bonnes volontés, organiser une équipe de volontaires. Et faire du porte-à-porte. L'équipe écoute, sans se lasser, les difficultés rencontrées par la population du quartier. Noire, en grande majorité, latino parfois, et toujours en situation de grande précarité.

Jerry Kellman dresse un portrait édifiant de cette immense partie de la ville, au début des années 1980. « Il faut bien se rendre compte de quoi on parle. Nous avons affaire à des problèmes de gangs, de meurtres par armes à feu, de drogues et d'habitats dévastés. » Comment s'y prendre ? « Les seules institutions présentes, ce sont les Églises. Par conséquent, notre rôle était de les convaincre de nous aider financièrement et de nous aider dans notre démarche pour réorganiser la communauté[1]. »

Plus précisément, le travail de Barack Obama consiste alors en une multitude de détails. Surtout, il s'agit d'écouter. « Il savait établir un lien très fort avec chaque individu. Il les laissait parler, les relançait et instaurait véritablement une relation. Mais il conservait toujours le recul nécessaire pour être un bon organisateur », dit aujourd'hui son patron. Après avoir recueilli les doléances des uns et les problèmes des autres, la petite équipe passait à l'action. Par exemple, si plusieurs familles se plaignaient de l'absence d'un panneau Stop à un carrefour dangereux pour les enfants, le rôle d'Obama était de convaincre les autorités du bien-fondé de ce besoin. Autre exemple relayé par Jerry Kellman : les immeubles squattés par les dealers. « Souvent, les propriétaires n'en avaient rien à faire, car ils n'habitaient pas là. » Il fallait donc convaincre les responsables concernés de faire évacuer les lieux, de les réhabiliter et de proposer à des familles dans le besoin de venir s'y installer.

Le « Projet Logement » était devenu la priorité numéro un de Jerry Kellman. Le chômage faisait rage dans cette zone industrielle, entourée d'usines de plus en plus en difficulté. Il fallait agir vite. « Les gens se foutaient de l'environnement, ils voulaient un boulot et une vie plus décente. »

Obama se brûle au travail. Passionné, acharné, il arpente les rues, monte et descend les innombrables escaliers de ces petits immeubles en brique. Pour son chef, il lui

---

1. Le mot « communauté » au sens large, dans la société américaine, peut désigner plusieurs notions : un voisinage, une paroisse, un club de sport, une communauté ethnique ou linguistique. Dans ce cas précis, il s'agit d'une zone géographique habitée par une communauté noire américaine homogène.

fallait faire autre chose. Surtout à son âge. « Je lui ai dit de sortir un peu plus avec les filles », sourit Jerry Kellman en plissant les yeux. Il se souvient avoir souvent reçu à dîner le jeune Barack et sa petite amie de l'époque, sa première relation durable[1], tout comme il se remémore le début de son histoire avec Michelle, sa future femme. Mais le jeune homme est sage. Il sort peu, boit avec modération. Il a des amis, mais reste raisonnable dans ses sorties nocturnes. « Je crois que, depuis Columbia, il avait décidé d'être sérieux », glisse Kellman. Les deux hommes parlent basket-ball, sport en général, regardent un match ensemble à la télévision de temps à autre. La musique, également, commence à jouer un rôle important dans la vie du jeune homme : jazz, rock. Beaucoup de lecture et d'écriture. « Il rédigeait des nouvelles, témoigne Jerry Kellman, qui en a lu quelques-unes. C'était plutôt bien. »

Barack Obama, alors âgé de vingt-quatre ans, apparaît mature aux yeux de son mentor. Il prend son métier au sérieux, s'applique et obtient des résultats. Surtout, il semble trouver sa voie et Chicago s'impose peu à peu comme son « chez lui ». Quand il se rend à New York ou bien ailleurs, Obama dit qu'il rentre « à la maison » lorsqu'il doit retourner à Chicago. « Son expérience dans la communauté africaine-américaine a été très importante », conclut Jerry Kellman. Le jeune travailleur social vit son immersion comme un déclic, par rapport à sa propre identité[2].

Harvard, le début de la reconnaissance

« Beaucoup de gens m'ont demandé : "Baruch, ça fait quoi d'être le premier juif président de la *Harvard Law Review*?" *Oi !* Cela allait un peu trop loin. C'est vrai que mon parcours est un peu particulier, mais qu'il me soit

---

1. Obama évoque cette relation dans *Les Rêves de mon père, op. cit.*
2. Voir chapitre 10.

permis de clarifier ces choses une bonne fois pour toutes. Je suis né à Oslo, en Norvège, fils d'un ouvrier à la chaîne chez Volvo et pêcheur à mi-temps, et d'une mère choriste pour le groupe Abba. C'était des gens bien. Comme vous le savez, les gars, je suis extraordinairement mature ; à l'âge de quinze ans, je partais en Californie pour entrer à l'Accidental College. Après quelques années, j'ai décidé d'aller à Columbia, mais lorsqu'on m'a offert un poste de juge à Bogotá, j'ai décollé pour Chicago. Là, j'ai découvert que j'étais noir et je le suis demeuré depuis lors. Mais je ne voudrais pas vous ennuyer avec mon parcours et autres questions d'ethnicité. Mon propos est de passer en revue les changements que j'ai impulsés au cours de mes cent premiers jours à ce poste[1]. »

C'est par ces quelques lignes totalement loufoques, que les Monty Python ne renieraient pas, que le jeune Barack Obama se présente, dans une tribune appelant à voter pour lui. Pourtant, ni le lieu ni le moment ne prêtent à rire. Nous sommes à Harvard, l'une des universités les plus prestigieuses des États-Unis. Sur ce campus de Cambridge, près de Boston dans le Massachusetts, les vieux bâtiments et les châtaigniers que grimpent d'insouciants écureuils inspirent le respect. La Nouvelle-Angleterre est ni plus ni moins que le berceau des intellectuels américains. Une élite formée depuis trois siècles dans les institutions de Boston, puis de New York ou de Philadelphie. Une Amérique très « waspy », comme diraient les minorités, c'est-à-dire très blanche et anglo-saxonne.

C'est dans cette atmosphère qu'arrive en 1988 le jeune Barack Obama, en provenance des rues du sud de Chicago. À vingt-sept ans, après une expérience auprès des populations noires démunies, il sent qu'il doit pousser ses études plus loin. Ambition politique ? Un peu prématuré,

---

1. « In law school, Obama entered political arena », *New York Times*, 28 janvier 2007. « Accidental College » est un jeu de mots sur l'Occidental College de Los Angeles, ou Oxy.

semble-t-il. Ambition professionnelle ? Sans aucun doute. Étudiant en droit constitutionnel, il fait partie d'une sélection d'une quarantaine d'élèves. Grâce à d'excellentes notes et à une première place lors d'un concours d'écriture, il obtient dès la fin de sa première année une place au sein de la *Harvard Law Review*, la revue de la fac de droit, l'une des bibles des juristes dans tous les États-Unis. Elle publie des articles très poussés sur un large éventail de domaines du droit. Si elle fonctionne de façon collégiale, avec un comité de rédaction et un comité de lecture, elle doit également être dotée d'un « chef d'orchestre ».

Mais la revue, en raison de graves divisions internes, a du mal à tenir son rang. Obama affirme alors vouloir retourner à Chicago, mais plusieurs de ses amis l'implorent de se présenter à la présidence de la publication. Selon eux, il serait le seul à pouvoir réconcilier les différentes parties et faire de la revue une publication de nouveau respectée. Flatté, Barack accepte.

La course n'est pas gagnée. Dix-neuf concurrents se trouvent sur la ligne de départ. L'élection doit durer toute une journée, derrière les murs feutrés du Pound Hall. Un par un, les candidats font face au comité éditorial. Discours, questions, réponses : l'objectif est de montrer ses qualités intellectuelles et ses capacités « sociales » à tenir le rôle de président. À savoir, être consensuel et populaire ! Mais cette journée marathon débute par deux surprises successives : les candidats du clan conservateur se retirent au dernier moment, puis font connaître leur soutien au candidat Obama. Bradford Berenson, membre de ce groupe, qui fut ensuite conseiller juridique du président Bush, explique : « Peu importe quelles étaient ses convictions politiques, nous sentions qu'il serait juste avec nous[1]. »

Comme pour une élection présidentielle, le second tour oppose deux candidats, dont Barack Obama. Survient alors un imprévu. Avant même de procéder au dernier grand

---

1. *Ibid.*

oral, l'un des étudiants noirs siégeant parmi les jurés, également candidat à la présidence, mais éliminé plus tôt dans la journée, craque. D'émotion. Sautant par-dessus la barrière, il s'effondre en larmes dans les bras de Barack. Les deux hommes pleurent, conscients de vivre là un moment historique. Après cet épilogue, Barack Obama est président de la *Harvard Law Review*. Il est le premier Noir à accéder à ce poste ultra prestigieux.

Son élection est immédiatement médiatisée, tant par les publications spécialisées que par la presse grand public, dont le prestigieux *New York Times*. Obama enchaîne les interviews. Il goûte pour la première fois à une forme de célébrité. Dans ses réponses, l'homme se montre humble, mesuré, prudent même. Comme tout novice, il fait quand même une lourde gaffe lors d'un entretien avec l'Associated Press : « Je ne suis pas intéressé par les banlieues. Les banlieues m'ennuient. » Personne ne relèvera véritablement et le jeune homme se voit même proposer un contrat d'édition pour écrire ses mémoires.

Mais ce n'était que le début. « J'ai travaillé à la Cour Suprême et à la Maison Blanche, relance Bradford Berenson. Et je n'ai jamais vu autant de querelles politiques qu'à la *Harvard Law Review* au début des années 1990. » Le juriste explique : « La fac était pleine de jeunes gens extrêmement ambitieux qui se prenaient pour les prochains Daniel Webster[1] et qui avaient des vues idéologiques totalement extrémistes. » Certains étudiants se huaient et se sifflaient à longueur de cours.

Le contexte politique complique également la tâche du « président Obama ». En effet, le campus est secoué par de graves divergences politiques portant sur les questions raciales. Parmi les débats les plus pressants émergeait cette problématique : les personnes issues des minorités doivent-elles occuper davantage de postes visibles de l'extérieur de

---

1. Daniel Webster (1782-1852), juriste, était un farouche défenseur du pouvoir fédéral. Il a notamment été secrétaire d'État.

l'institution ? Un groupe qui milite pour plus de diversité occupe un temps le bureau du président de la fac de droit. Un professeur noir renommé, Derrick Bell, est même obligé de démissionner à l'issue du conflit.

Au cœur même de la revue, la question se pose : faut-il pousser l'*Affirmative Action*[1] et donner plus de places aux minorités ? Voici donc Barack Obama, premier Noir à accéder à une telle fonction, devant un choix crucial. Et délicat politiquement parlant. Soit il se tait et s'attire les foudres des libéraux et des Noirs, soit il se prononce publiquement contre la politique conservatrice en place à Harvard et s'expose durablement. Pendant le débat, Obama écoute les deux parties. Elles s'affrontent notamment sur la dénomination : Noirs ou Africains-Américains ? Le président esquive, estimant que ce n'est que de la sémantique et qu'il faut s'occuper du fond des problèmes. Une réponse consensuelle. D'ailleurs, tout le monde le croit de son côté. « Tout le monde acquiesçait et se disait : "Oh, il est d'accord avec moi" », se souvient Charles Ogletree, l'un des mentors d'Obama[2], professeur de droit de son état.

D'un naturel prudent, le jeune homme mesure l'importance du jeu politique. Ainsi que de l'impact qu'aura toute décision prise dans le cadre de sa fonction sur sa future carrière en droit. Aussi prend-il souvent la parole, de façon forte et talentueuse, mais sans jamais contrarier les Blancs. Et souvent pour s'éloigner du feu de la polémique. La seule position forte dont on se souvient de ses années Harvard, fut la comparaison qu'il fit entre le professeur Bell et Rosa Parks[3].

---

1. Ce programme de « discrimination positive » (ainsi qu'on le traduit maladroitement en français), conçu dans les années 1960, a pour vocation de faciliter les études et l'embauche de personnes issues des minorités.
2. « In law school, Obama entered political arena », *New York Times*, art. cit.
3. Rosa Parks (1913-2005) avait refusé de laisser son siège à un Blanc dans un bus de Montgomery (Alabama), le 1er décembre 1955. C'est l'un des événements fondateurs de la lutte pour les droits civiques.

À l'occasion des nombreux discours qu'il prononce, le jeune homme choisit d'aborder des thèmes plutôt consensuels. Une fois, par exemple, il rappelle aux étudiants noirs leur obligation d'exemplarité, en tant qu'étudiants privilégiés. L'un des étudiants de l'époque, Kenneth Mack, aujourd'hui professeur dans cette même faculté, se souvient surtout des talents d'orateur d'Obama, qu'il compare volontiers au style d'un pasteur du sud des États-Unis. « C'était l'inspiration du discours qui marquait, plus que le contenu spécifique. »

Prudence. Lâcheté, diraient ses détracteurs. Mais une qualité semble rassembler les pros et les anti-Obama de l'époque : sa qualité d'écoute. Peu importe l'opinion exprimée, qu'elle fût tiède ou extrême : Barack Obama goûte – déjà – à cet exercice. On se souvient même d'un débat portant sur une invasion de souris ! Devait-on éliminer les rongeurs des vieilles salles de Harvard, ou avaient-ils le droit de vivre ? Apparemment, le futur sénateur a réussi, là encore, à ne pas prendre position.

4

Chicago, Home Sweet Home

Hawaii, Los Angeles, New York, Chicago, Harvard. Après ses études sur le fameux campus de Cambridge, Barack Obama retourne vers l'Ouest, plus précisément dans la capitale du Middle West. Malgré les multiples propositions financièrement très alléchantes que lui soumettent les plus grands cabinets d'avocats des États-Unis, le tout jeune diplômé choisit donc de revenir à Chicago et de s'y installer durablement, au point d'envisager d'y faire sa vie.

Une atmosphère particulière

Troisième plus grande agglomération du pays, l'ancien royaume d'Al Capone accumule les particularités. Cité gloutonne au bord du lac Michigan, elle écrase toutes ses concurrentes dans un rayon de trois cents kilomètres, tant sur un plan démographique qu'économique ou culturel. On le sait peu, mais c'est ici que les premiers gratte-ciel sont apparus aux États-Unis. Malgré le vent et le froid glacial qui sévissent quatre à six mois par an, c'est une ville où il fait bon vivre : un lac cerné de plages, de nombreux parcs publics, des musées de tout premier plan, des théâtres et des restaurants à foison… Tout pour plaire, à deux exceptions près, et de taille : la corruption et la ségrégation.

John Kass, chroniqueur au caractère bien trempé au *Chicago Tribune*, le quotidien de référence de la région, ne mâche pas ses mots. Lui, le fils d'épicier grec né dans le quartier sud de Chicago, a pris en grippe Richard Daley, le maire de Chicago, fils de l'ancien maire de la même ville, Richard Daley senior. Le père, jadis, comme le fils aujourd'hui, ne sont pour le journaliste que « des corrompus ». « Chicago, c'est un climat très, très spécial, explique-t-il dans la Billy Goat Tavern[1]. Daley est un démocrate. Mais les démocrates ici sont d'un genre un peu... particulier. »

On évoque en plaisantant Al Capone, les gangsters, la mafia, en espérant dégonfler un mythe et stigmatiser d'éventuels sous-entendus quelque peu exagérés dans le discours de Kass. En apparence, tout peut l'être. Mais pas ce jugement : « Vous rigolez..., glisse-t-il en guise de réponse. La Prohibition est désormais de l'histoire ancienne, en effet ; mais certaines mœurs n'ont pas beaucoup changé. » Pour lui, si « Mayor Daley », après avoir été élu et réélu, devait ne jamais être condamné par la justice, alors tout tendrait à prouver qu'il serait réellement une crapule.

« De nombreuses personnes de son entourage se sont fait pincer dans différentes affaires. » Malversations, conflits d'intérêts, corruption... La politique à Chicago n'aurait pas grand-chose à envier à celle jadis pratiquée en Sicile. Comme nous le verrons plus tard, lorsqu'il entrera en politique, Barack Obama devra faire avec ce contexte si particulier.

Après la corruption, la ségrégation. Le mot peut paraître fort, ou tiré des livres d'Histoire d'avant le grand tournant civique des années 1960. Dans des villes comme Milwaukee, dans le Wisconsin, Detroit, dans le Michigan, et donc Chicago, il prend tout son sens et se révèle bel et bien ancré dans la réalité quotidienne. Bien évidemment, cette

---

1. Entretien avec l'auteur, 9 février 2007. Voir également chapitre 1.

ségrégation n'a plus rien d'officiel ou de systématique. Mais elle existe *de facto*[1].

Un avocat prometteur

En tant qu'avocat, Obama creuse son sillon. Il ne veut pas se consacrer au droit privé. Le droit des affaires, pourtant le plus rémunérateur, surtout lorsqu'on a été le patron de la *Harvard Law Review*, ce n'est pas pour lui. Après avoir reçu de nombreuses propositions, Barack Obama cible donc Chicago et un domaine qui lui est cher : le droit civique. Ce champ, très développé aux États-Unis, concerne toutes les lois et réglementations liées à la discrimination raciale. En somme, il s'agit de faire respecter les « Civil Right Acts » votés dans les années 1960, qui mettent officiellement fin à la ségrégation et prônent l'égalité entre tous les citoyens américains.

Mais les faits sont parfois têtus, et les tribunaux corrigent, plus ou moins bien, selon les régions et les périodes, les errements en la matière de certaines institutions, qu'elles soient privées ou publiques.

Judd Miner est le fondateur associé de l'un des cabinets les plus respectés de Chicago en matière de droits civiques. Certes, sa taille est modeste. Et un vieux petit immeuble de brique de trois étages, au cœur du centre-ville historique, suffit à l'abriter. Mais avec le temps, Miner Barnhill & Galland ont acquis une réputation de sérieux et d'efficacité. Tout en avalant rapidement un sandwich, l'avocat se remémore l'arrivée de Barack Obama au sein du cabinet : « Je l'avais repéré au moment de son élection à la tête de la *Harvard Law Review*, car on avait un peu parlé de lui dans la presse spécialisée, mais aussi dans les médias généralistes. Je l'ai donc contacté et, étonnamment, il m'a rappelé[2]. »

---

1. Voir chapitre 3.
2. Entretien avec l'auteur, 9 février 2007.

Et l'homme n'est pas peu fier de « sa » trouvaille. « Il m'a tout de suite paru très intelligent et très motivé », affirme-t-il aujourd'hui. Mais avant de parler tout de suite de travail, Miner s'étend sur la personnalité d'Obama. « Vraiment, c'était très agréable de travailler avec lui. Je crois que tout le monde l'aimait beaucoup au cabinet, de l'assistante d'accueil à mes associés. Je dis cela très aisément, car il n'a pas changé depuis. » Miner a continué à côtoyer l'homme politique, et le conseille encore ponctuellement. Judd Miner est également redouté sur les parcours de golf. Il se souvient de duels endiablés : « Barack, c'est un joueur. Mais attention, un gagnant. Il déteste perdre. » Judd Miner évoque un golfeur concentré et très fair-play. « C'était des moments très sympas. »

Obama, alors sans expérience, ne se voit pas confier de gros dossiers : « Au début, il nous rédigeait surtout des notes sur tel ou tel cas », raconte Jeffrey Cummings, lui aussi avocat chez Miner Barnhill & Galland[1]. Jeff, plus jeune d'une année que Barack Obama, le défiait au basket. « Redoutable », lance-t-il laconique dans un grand sourire. Pour l'anecdote, il se souvient du côté relax et du « super sens de l'humour » de son ancien collègue. « Un jour, nous étions dans cette salle de réunion au sous-sol et Barack était au téléphone. (Il montre du doigt un appareil, sur le côté de la grande table.) À l'époque, nous avions quelques soucis avec des rats dans ce vieil immeuble. Et voilà que l'un d'eux se faufile entre les pieds de Barack et grimpe par la jambe de son pantalon ! Nous étions tous horrifiés et prêts à hurler, mais Barack poursuivait sa conversation stoïquement, tout en remuant légèrement la jambe pour faire tomber le rat. C'était hilarant ! »

Plus sérieusement, Jeff Cummings a travaillé en étroite collaboration avec Barack Obama sur plusieurs dossiers, pendant les trois ans et demi du passage du futur sénateur

---

1. Entretiens avec l'auteur, 9 février 2007 et 10 mars 2008.

dans ce cabinet, entre 1993 et 1997[1]. Il se souvient surtout d'une affaire qui a fait jaser pendant de nombreuses années à Chicago.

Il faut par exemple savoir que la municipalité a notamment pour responsabilité de dessiner les circonscriptions électorales. À chaque district correspond un élu, qui siège au conseil municipal ; or, selon Cummings, « la ville pratiquait systématiquement la discrimination, au détriment des minorités, c'est-à-dire les Africains-Américains et les Hispaniques ». Si les circonscriptions doivent toutes comporter le même nombre d'habitants, il suffit d'ajuster d'une rue ou d'un bloc pour en changer la démographie. Et donc le corps électoral. « Nos clients étaient des associations représentant des Africains-Américains, explique Jeff en dessinant le plan de la circonscription en question sur un bout de papier. Et ils s'estimaient lésés, à cause de ce découpage biaisé, leurs revendications n'étaient pas prises en compte par les élus. » Si bien que c'était toujours un Blanc qui représentait le quartier, pourtant à large dominante noire. Ce qui va à l'encontre des lois civiques[2].

Mais, selon Jeff Cummings, Obama est intervenu sur ce dossier et a eu un rôle déterminant dans ce litige qui a duré de 1992 à 2001. Même s'il n'a par conséquent participé qu'à une phase limitée de la résolution de ce conflit, celle-ci représentait toutefois une étape décisive. « Le juge qui avait été assigné et qui tentait d'obtenir un accord entre les parties avait décidé de fermer le dossier. Nous avons fait appel. C'est Barack qui a rédigé tout l'argumentaire et a emporté la décision. Le même juge a rouvert le dossier, alors que tout semblait perdu. » Au final, la ville de Chicago, qui a déboursé « des millions de dollars » pour sa défense, selon

---

1. Obama a quitté le cabinet lorsqu'il est devenu élu local en 1997, tout en continuant à siéger comme conseiller, jusqu'à son élection au Sénat des États-Unis en 2004. Mais il ne tirait plus de revenus principaux de cette activité. Selon Jeff Cummings, « c'était très ponctuel ».
2. En particulier du Voting Right Act.

Cummings, a perdu. Un verdict retentissant dans le domaine du droit civique, et qui a eu une portée nationale.

Autre dossier important pour Barack Obama : la plainte d'un employé contre son entreprise, Comdisco. Ce fut, au cours de son expérience d'avocat, l'affaire sur laquelle il a le plus travaillé : plus de cinq cents heures. Le client avait enduré « de graves discriminations raciales », d'après Jeff Cummings. Un accord avait été trouvé juste avant un éventuel procès, largement à l'avantage du client. « L'entreprise avait pourtant embauché le cabinet Janner & Block, le plus cher et plus coriace de Chicago. Mais Barack a fait la différence. »

Trois ans et demi sous la robe, c'est peu. Obama est donc resté un « junior » dans cette profession. Selon Judd Miner et Jeffrey Cummings, mis à part les heures obligatoires imposées à tout jeune diplômé, le jeune avocat a peu plaidé en Cour. « Juste quelques apparitions de routine », précise Cummings. Cependant, Barack Obama s'est passionné pour son métier et a déployé, selon son employeur et ses collègues, des qualités évidentes. Exemple cité par Cummings : « Son esprit très créatif. Dans cette histoire de découpage de circonscription, Barack a fourni une idée à laquelle personne n'avait pensé. Et qui d'ailleurs n'avait jamais été appliquée dans le droit. Mais c'était tout à fait conforme à la loi, par conséquent nous avons pu avancer grâce à lui. »

Prof de fac

Le trentenaire va également exercer une autre facette du métier de juriste, en parallèle de son activité chez Miner Barnhill & Galland : professeur à la fac de droit. L'université de Chicago, dans la partie sud de la ville, ne ressemble à aucun autre campus américain. Nichée au cœur d'une zone boisée, située à quelques encablures à peine des rives du lac Michigan, ses grandes pelouses gorgées d'humidité l'hiver traduisent une impression de mélancolie. Ses bâtiments principaux, à la pierre grise et au style gothique, rappellent volontiers Oxford ou Cambridge. Fondée au début du xxᵉ siècle, l'institution s'approprie ainsi un passé prestigieux, quoique superflu, tant son enseignement et son hôpital public, qui fait tampon avec le centre-ville, sont réputés aux États-Unis.

La « Law School », en revanche, est abritée dans un bâtiment moderne et sans âme datant des années 1970. Au rez-de-chaussée, le lobby propose canapés en skaï et baby-foot. Au quatrième étage, la bibliothèque n'offre qu'un confort spartiate, même aux professeurs y ayant leur bureau : des cabines plus ou moins étroites, mais avec vue sur la verdure. C'est donc dans ce cadre que Barack Obama développe ses compétences de communicant. Il attaque la rentrée scolaire de 1993, année lors de laquelle il enseigne le droit civique, en prélude à son futur statut de professeur de droit constitutionnel, discipline plus prestigieuse.

Nicole Jackson était une élève assidue des cours du jeune apprenti professeur. Elle est aujourd'hui avocate en droit civique, à quelques encablures de la fameuse tour Sears. Elle se souvient parfaitement du trimestre passé au séminaire donné par Barack Obama. Et pour cause, puisqu'il a été déterminant dans sa carrière. « Je m'étais plutôt ennuyée lors de la première année, raconte la jeune avocate noire. J'ai alors découvert le thème de ce séminaire, "La race dans la loi[1]". Cela m'a beaucoup motivée. » L'étudiante, en revanche, n'avait jamais entendu parler du professeur en question. « Il m'est tout de suite apparu différent des autres profs. Il était accessible, facile à approcher, alors que la plupart maintiennent une distance avec les étudiants. Pas lui. »

L'enseignement du droit à l'université de Chicago a en effet la réputation d'être l'un des plus conservateurs du pays. Selon Nicole, Barack Obama était devenu très

---

1. Le mot « race », outre-Atlantique, n'a aucune connotation raciste.

populaire auprès de la vingtaine d'étudiants du séminaire, grâce notamment à son habileté à communiquer. « Il n'était vraiment pas intimidant comme prof. Mais, surtout, il s'intéressait sincèrement à notre progression en tant qu'étudiants[1]. »

Tout comme Jeffrey Cummings, elle souligne la « créativité » d'Obama. « Plutôt que de longs discours, il préférait engager un dialogue avec nous. Le cours était un peu comme une conversation. » Nicole se souvient d'un exercice qu'elle n'avait jamais fait auparavant, et qu'elle devait ne jamais refaire à l'université : la confrontation. « Il nous demandait de nous diviser en groupes et d'argumenter les uns contre les autres. C'était vraiment très intéressant », affirme-t-elle.

Obama a par ailleurs joué, dans le cursus de Nicole Jackson, un rôle qui dépasse celui de sa fonction de professeur. « Je l'aimais beaucoup, car il me ressemblait aussi, dit-elle en faisant allusion à sa couleur de peau. Avec des amis, nous avions l'intention de créer, au sein de l'université, une association sur le droit civique. Nous avons décidé de lui en parler et il a tout de suite proposé de nous conseiller. » Gratuitement, prenant sur son temps, le jeune professeur et avocat n'hésite pas à ouvrir son carnet d'adresses à ce petit groupe d'étudiants. « Nous voulions nous lancer dans l'aide à l'accès au logement pour les plus démunis, reprend Nicole. Comme il avait acquis une expérience certaine dans ce domaine, il nous a organisé une réunion avec le National Equity Fund[2]. » Ne pouvant être physiquement présent, l'avocat a tenu à participer à la conférence par téléphone. Un épisode qui a clairement marqué l'étudiante d'alors. Résultat, qui n'est pas un hasard : Nicole pratique aujourd'hui cette spécialité.

Par la suite, bien qu'étant devenu élu local, Obama a poursuivi sa collaboration avec l'université de Chicago, en

---

1. Entretien avec l'auteur, 10 mars 2008.
2. Le principal fonds à l'aide au logement aux États-Unis.

tant que professeur de droit constitutionnel. Cette expérience lui a notamment permis de tisser un réseau de contacts très utile à sa carrière politique. Ainsi, dans son équipe de campagne présidentielle, on retrouve plusieurs de ses anciens collègues : Cass Sunstein, professeur de droit constitutionnel et conseiller sur les questions juridiques, ou encore Austan Golsbee, professeur d'économie réputé et chargé du programme économique du candidat Obama.

La rencontre de sa vie

D'un point de vue personnel, ces « années Chicago » représentent aussi un tournant dans la vie de Barack Obama. C'est ici qu'il rencontre Michelle Robinson, qui deviendra son épouse et la mère de ses enfants. C'est ici aussi qu'il se trouve une famille, au sens large du terme : les Robinson, ses amis et collègues et, surtout, l'église qu'il fréquente, la Trinity United Church. Cette combinaison a joué un rôle déterminant dans l'identité de Barack Obama. Au cours de ses premières années à Chicago, il s'ancre clairement dans la communauté noire américaine, s'identifiant enfin à une lignée historique américaine qui lui faisait jusqu'alors défaut. Dans son engagement spirituel, familial, social et politique, Barack Obama trouve enfin sa voie. Ses voies. Car l'homme demeurera multiple[1].

Michelle Robinson n'a pas besoin de son mari pour exister. Dotée d'un solide tempérament, elle est une excellente oratrice. Les médias l'ont découverte au fur et à mesure de la campagne des primaires. Et ils sont tombés sous le charme, comme le montre un nombre important de couvertures de magazines et de journaux. Barack Obama a coutume de dire qu'il « consulte régulièrement ses deux esprits supérieurs : Dieu et Michelle », ou encore que le

---

1. Voir le chapitre 10 sur son identité.

« meilleur des deux, c'est Michelle ». À dire vrai, il n'a peut-être pas tort.

Michelle Obama est une bête de scène. Il suffisait de la voir arpenter le podium installé au centre de la salle de basket-ball de l'UCLA[1], deux jours avant le Super Tuesday du 5 février, où la Californie allait jouer un rôle crucial. Sur l'un des plus grands campus universitaires des États-Unis, la salle de basket n'est pas qu'un simple gymnase. Les matchs des « Bruins » se déroulent devant près de cinq mille personnes et quelques millions de téléspectateurs. Michelle Obama joue aussi à guichets fermés en ce dimanche après-midi.

Dans ce meeting de campagne exclusivement féminin – Barack fait campagne à l'autre bout du pays le même jour –, elle est précédée sur scène par Caroline Kennedy, la fille du Président assassiné, Oprah Winfrey, la grande papesse de la télévision, et suivie par Maria Schriver, également une Kennedy, femme du gouverneur républicain Arnold Schwarzenegger – autrement dit, « First Lady » de Californie. Et en guise de clou du spectacle, Stevie Wonder en personne vient apporter ce jour-là son soutien à Obama sur un air d'harmonica.

De toutes ces personnalités, Michelle Obama se révèle la plus impressionnante. Sans notes, pendant près de quarante-cinq minutes, elle raconte sa vie, parle de l'éducation de ses enfants, des familles en difficulté pour boucler la fin de mois. La foule est impressionnée. Chastity Dotson, une jeune actrice noire, n'en croit pas ses oreilles. « C'est vraiment une femme extraordinaire », glisse-t-elle en ouvrant grand les yeux. Peu à peu, d'ailleurs, Michelle Obama se voit confier un rôle grandissant dans la campagne électorale de son mari.

---

1. L'University of California Los Angeles, établissement public, est l'une des plus grandes du pays avec 40 000 étudiants. La superficie de son campus équivaut à un arrondissement central de Paris.

Si Michelle Robinson a les pieds sur terre et la tête bien calée sur ses épaules (la presse la surnomme d'ailleurs le « roc » de Barack Obama, « celle qui le maintient droit[1] »), c'est parce qu'elle n'oublie pas ses origines. Née dans la partie sud et défavorisée de Chicago, Michelle est élevée par une mère au foyer et un père employé par le département des Eaux de la ville de Chicago. Malgré une sclérose en plaques, Fraser Robinson se rend au travail tous les jours – il actionne les machines de pompage d'eau – et n'a de cesse de prôner la notion de mérite auprès de sa fille Michelle et de son fils Craig.

De son propre aveu, l'enfance de Michelle ne fut pas fondamentalement malheureuse. Bien qu'ils luttaient souvent financièrement, ses parents faisaient le nécessaire pour que Michelle et Craig pratiquent des activités extrascolaires. La famille loge dans un deux pièces niché dans une sorte de bungalow de brique. Fraser est un père discret, paisible et aimant ; Marian est une mère patiente, qui cuisine midi et soir pour la petite famille et les camarades d'école de passage. La famille vit bien. À l'adolescence, Craig devient un cador du basket et Michelle s'applique à être une élève modèle. La suite de son histoire relève du rêve américain. Littéralement.

Michelle Robinson est un pur produit de l'*Affirmative Action*[2]. Après le lycée, elle bénéficie pleinement de ce levier social. Mais pas aussi directement que son frère. Les conseillers d'éducation ne remarquent pas cette élève appliquée, quoique jamais première de la classe. Ces fonctionnaires repèrent les plus brillants pour les placer dans les grandes universités américaines. Ainsi, dans la famille, c'est Craig qui se fait enrôler. Princeton, les ligues d'élite.

---

1. « Barack's rock », *Chicago Tribune*, 22 avril 2007 et « Barack's rock », *Newsweek*, 25 février 2008.
2. Voir note p. 62.

Lui, le gamin de Chicago Sud, qui excelle sous le panier, se voit grâce au basket assailli de multiples propositions. « Je me suis dit "Moi aussi, je peux le faire" », déclare Michelle[1]. Malgré l'absence de recommandation de l'administration, Michelle envoie un dossier de candidature à Princeton, l'une des plus prestigieuses universités de la Côte est, dans le New Jersey. Surprise de taille : elle est acceptée.

L'université de Princeton est majoritairement blanche. Au milieu des années 1980, la plupart des Africains-Américains qui y entrent le doivent à l'*Affirmative Action*. Si bien que de nombreux Blancs en sont jaloux. C'est dans ce type de climat que débarque la jeune Michelle, inscrite en sociologie. Elle se lie d'amitié avec deux autres étudiantes noires, Angela Acree et Suzanne Alele. Les trois filles font dortoir commun et deviennent inséparables. Les conversations nocturnes sur la discrimination raciale dans la société américaine sont nombreuses. Et puisque la direction de l'université ne fait rien pour changer le *statu quo*, la plupart des étudiants noirs se retrouvent au sein du Club du Tiers-Monde, sorte d'association à but social.

Bien que la thèse en sociologie de Michelle Robinson ne soit pas ouverte au public, le *Chicago Sun Times* indique que la jeune femme est devenue « plus au fait de sa condition de femme noire » lors de son passage à Princeton[2]. Sujet de la thèse : « Les Noirs éduqués à Princeton et la communauté noire. » Si Mrs Obama dit aujourd'hui ne pas se souvenir précisément de ce qu'elle a écrit à l'époque, le quotidien de Chicago assure que Michelle y stipule que, pour les autres, dont elle ne cesse de croiser les regards, elle sera « toujours une Noire avant tout, et éventuellement, ensuite, une étudiante ».

Michelle poursuit ses études à Harvard. Comme un certain Barack, à la faculté de droit. Dans cette institution en

---

1. « Barack's rock », *Newsweek*, art. cit.
2. *Ibid.*

territoire WASP, elle ressent la même chose qu'à Princeton. Aujourd'hui médiatiquement surexposée, Michelle n'emploie jamais le terme de « racisme ». Mais selon son amie Verna Williams, elle et ses camarades noirs « craignaient d'être vus comme des classes de charité » par les étudiants blancs[1]. En tout état de cause, Michelle Robinson se révèle une excellente étudiante en droit, et sort de Harvard un diplôme d'avocat en poche. Logiquement, elle cherche à regagner sa ville natale afin de se rapprocher de ses parents.

Michelle se fait embaucher au Cabinet Sidley & Austin, plus spécifiquement dans le domaine du droit des affaires. Nous sommes à l'été 1988[2] ; Michelle aime ce qu'elle fait et s'apprête à devenir associée au sein du cabinet. C'est alors que déboule un stagiaire, de deux ans son aîné. Michelle est désignée comme mentor et doit aider Barack Obama – puisque c'est de lui qu'il s'agit – dans ses tâches quotidiennes. Autrement dit, elle doit lui apprendre le métier. Difficile de dire si le coup de foudre est réciproque, mais Barack Obama décide de faire le premier pas.

Dans son second livre, le sénateur plante le décor : « Je traversais une période de transition dans ma vie, écrit-il. Je m'étais inscrit en faculté de droit après avoir travaillé trois ans comme coordonnateur communautaire et si ces études me plaisaient, j'avais encore des doutes sur ma décision. Je craignais d'avoir renoncé aux idéaux de ma jeunesse, d'avoir passé un compromis avec les dures réalités de l'argent et du pouvoir : le monde tel qu'il est et non plus le monde tel qu'il devrait être[3]. »

Le jeune Obama a alors vingt-sept ans et poursuit la lente découverte de son « moi » lorsqu'il rencontre Michelle. Il dit aujourd'hui ne plus se rappeler en détail de sa première conversation avec la jeune mademoiselle Robinson.

----

1. *Ibid.*
2. 1988, selon Barack Obama dans *L'Audace d'espérer* ; 1989, selon *Newsweek.*
3. Barack Obama, *L'Audace d'espérer, op. cit.*, p. 330.

Mais il se remémore très bien son apparence physique : ses talons la rendaient presque aussi grande que lui, et elle arborait un tailleur et un chemisier élégants. Michelle lui avouera par la suite avoir été agréablement surprise en le voyant pour la première fois dans son bureau, car il était mieux que sur le Photomaton figurant sur le fichier du bureau !

Le premier déjeuner entre le stagiaire et son nouveau mentor permet aux jeunes gens de faire connaissance. Barack découvre alors l'enfance de Michelle et craint qu'elle ne déménage à Los Angeles ou à New York pour sa carrière, comme elle l'évoque. « Oh, Michelle avait la tête pleine de projets, à l'époque, elle n'avait pas le temps pour l'amusement, en particulier pour les hommes. Mais elle savait partir d'un rire éclatant sans la moindre gêne et je remarquai qu'elle ne semblait pas trop pressée de retourner au bureau. Il y avait autre chose aussi, une lueur qui dansait dans ses yeux sombres chaque fois que je la regardais, une trace infime d'incertitude, comme si, au plus profond d'elle-même, elle savait que les choses sont fragiles et que si elle baissait sa garde, ne fût-ce qu'un instant, tous ses projets pourraient rapidement tomber à l'eau. Cette trace de vulnérabilité me touchait. J'avais envie de connaître cet aspect de Michelle[1]. »

En dépit de l'insistance du jeune homme, Michelle refuse un rendez-vous galant, arguant de questions d'éthique de travail. Après tout, bien qu'étant sa cadette de plus de deux ans, elle demeure son supérieur hiérarchique… Obama se fait néanmoins plus pressant et finit par obtenir un pique-nique en guise de rendez-vous romantique.

Alors que Michelle le raccompagne, il propose de lui offrir une glace à la boutique en face de chez lui. Les deux collègues s'assoient sur le trottoir et reprennent la conversation. Barack mentionne son job d'été chez le glacier, Michelle raconte que lorsqu'elle était petite, elle refusait de

---

1. *Ibid.*, p. 332.

manger autre chose que du beurre de cacahuètes... Obama se souvient : « Je lui ai dit que j'aimerais rencontrer ses parents, elle a répondu qu'elle aimerait me les présenter. J'ai demandé si je pouvais l'embrasser. Ses lèvres avaient un goût de chocolat[1]. »

La relation entre les deux jeunes avocats devient immédiatement sérieuse. Obama rencontre les Robinson et s'attache rapidement. Dès les premières semaines, toutefois, Craig, le frère basketteur, se voit assigner une drôle de tâche par Michelle. Elle veut tester les valeurs du jeune homme. Cela se fera sur le terrain de basket, révélateur, selon Craig, d'un comportement dans la « vraie vie ». Le frère donnera son feu vert. Obama trouve dans les Robinson une véritable famille, unie. Un modèle qu'il ne connaît pas. Son engagement envers Michelle et sa future belle-famille se révèle un engagement assumé dans la communauté noire américaine. Il aura fallu une certaine Michelle Robinson pour qu'au bout de son cheminement personnel, Barack Obama trouve son identité d'homme noir aux États-Unis.

Parallèlement à la carrière juridique, puis politique, de son mari, et tout en élevant leurs deux fillettes – Malia Ann, née en 1998, et Natasha, dit Sasha, née en 2001 –, Michelle Obama mène une carrière professionnelle impressionnante. Son CV est éloquent. Diplômée de Princeton et de Harvard, puis avocate, elle devient ensuite directrice associée des études à l'université de Chicago. Actuellement, elle porte le titre de vice-présidente de l'Hôpital universitaire de Chicago. Une fonction mise entre parenthèses lorsqu'elle décide de s'investir dans la campagne présidentielle. En parallèle, Michelle Obama siège dans six conseils d'administration. Elle connaît également le monde politique de l'intérieur, étant elle-même passée pendant près de deux ans par le cabinet du maire Richard Daley. La presse américaine a même publié ses revenus ; en 2005, sa déclaration

---

1. *Ibid.*, p. 333.

de revenus fait état d'une progression du simple au presque triple, passant de 122 000 à 317 000 dollars[1].

Michelle est une tête. Et elle ne pratique pas la langue de bois. N'a-t-elle pas affirmé dans un éclat de rire – mais dans une interview à *Glamour*! – que Barack « sent mauvais le matin » et ronfle quand il dort ? Ou encore, en août 2007, que « si vous ne pouvez pas faire fonctionner votre propre maison, vous ne pouvez certainement pas faire fonctionner la Maison Blanche[2] ». Elle parlait de son propre foyer et de l'éducation de ses enfants, a-t-elle expliqué par la suite, mais le couple Clinton s'est senti visé...

Barack Obama lui-même s'est épanché sur sa vie de couple dans ses écrits. Il ne cache pas le rôle essentiel joué par son épouse, le prévenant de tout risque de prendre la grosse tête. Michelle est en effet derrière tous les choix effectués par Barack : ne pas emménager à Washington après son élection au Sénat, continuer d'aller chez le même coiffeur, dans son quartier, ou continuer à faire son jogging le matin au bord du lac – jusqu'à ce que les services secrets lui somment d'arrêter pour sa sécurité...

Mais le stress d'une nouvelle carrière dans la politique manque sonner le glas du couple. « Quand je me penchais le matin pour embrasser Michelle avant de partir, je n'avais droit qu'à un petit baiser sur la joue. Avec la naissance de Sasha – aussi belle et presque aussi calme que sa sœur –, la colère de ma femme envers moi semblait de plus en plus difficile à contenir[3]. »

Michelle a bien évidemment joué un rôle important dans la décision de son mari de se présenter à l'élection présidentielle. Aux États-Unis, une campagne est longue, très

---

1. « The woman behind Obama », *Chicago Sun-Times*, 20 janvier 2007. Le revenu moyen annuel par individu aux États-Unis s'élève à 33 000 dollars (chiffres 2004 du Bureau of Economic Analysis).
2. « The real running mates », *Time Magazine*, 24 septembre 2007.
3. Barack Obama, *L'Audace d'espérer*, *op. cit.*, p. 342-343.

longue. Particulièrement pour cette échéance[1]. Dans une interview avec Larry King, le fameux journaliste aux bretelles de CNN[2], Michelle évoque cette prise de décision : « J'ai regardé Barack et je lui ai dit : "Crois-tu que tu puisses le faire, mais aussi dois-tu le faire ?" Il m'a répondu : "Oui, je peux être un bon Président." [...] On a parlé des aspects concrets de la campagne, vous savez. Quelles seront les conséquences pour les enfants ? Nous avons des filles de neuf et six ans. Comment le vivraient-elles ? Comment nous organiserions-nous pour que leur vie reste stable ? Comment ferait-on financièrement ? Je voulais que nous avancions sur toutes ces questions afin de savoir comment nous nous comporterions. Et quand j'ai été satisfaite par toutes les réponses, j'étais prête à y aller. »

---

1. Obama a annoncé sa candidature en février 2007, soit vingt-trois mois avant l'entrée en fonction du nouveau président des États-Unis, en janvier 2009.
2. « Larry King Live », CNN, 11 février 2008.

5

Révélation d'un tempérament

Il est une anecdote que Barack Obama aime particulièrement raconter. L'action se déroule à Cairo, dans le sud de l'Illinois. Comme il le rappelle, « le sud de l'Illinois, c'est le Sud », évoquant ainsi les positions conservatrices des Blancs majoritaires dans ces régions des États-Unis. À l'occasion de plusieurs discours[1] et dans son livre, il décrit la réaction positive de la population rurale et blanche voyant débarquer un jeune politicien noir venu faire campagne.

Politique made in *Chicago*

L'Illinois a donc deux visages. Celui, étincelant, de Chicago. Et celui, discret, austère, de terres agricoles et de petites villes qui ont du mal à vivre à l'ombre de la métropole aux trois millions d'habitants. La ville au nord. Et la campagne, qui s'enfonce dans le Grand Sud, aux confins du Kentucky et du Missouri, longeant le fleuve Mississippi à l'est. Avant d'être l'un des deux sénateurs de l'État à

---

1. Discours tenus lors de sa tournée promotionnelle pour son deuxième livre, *L'Audace d'espérer*. Notamment à Los Angeles le 27 octobre 2006.

Washington en novembre 2004, Barack Obama se fait élire à la chambre haute de l'État.

Le décor politique de l'Illinois planté, il doit tout de même être enrichi d'un pan impossible à négliger. On peut appeler cela un « climat spécial », un « tropisme ». Ou carrément de l'affairisme. John Kass, éditorialiste au *Chicago Tribune*, en parle à longueur de colonnes : « corruption », « conflit d'intérêts », « abus de biens sociaux » et autres « fraudes » sont des mots qui reviennent régulièrement sous la plume du journaliste[1].

Dan Johnson-Weinberger, lobbyiste et éditorialiste, fin observateur de ce drôle de marigot, explique : « C'est une sorte de culture. On tolère une sorte de créativité en terme de corruption[2]. » Dan évoque ainsi un ancien gouverneur de l'État, aujourd'hui sous les verrous, qui avait permis le développement d'un système d'extorsion de fonds et de corruption dans l'administration des immatriculations de véhicules. Quant au maire actuel de Chicago, le démocrate Richard Daley, il a pour sa part vu plusieurs de ses « amis » inquiétés par la justice.

Lorsqu'il arrive au Congrès, Obama s'attache d'emblée à proposer une réforme du système. Un autre de ses chevaux de bataille est alors l'éthique, plus particulièrement la réforme du financement des campagnes électorales dans l'État de l'Illinois. Il est alors dans la minorité. « Là encore, il est dans le camp de la vision la plus dure, la plus progressiste, mais il comprend la légitimité des autres et s'ouvre au dialogue afin de trouver un consensus. C'est vraiment sa façon de fonctionner », confesse Dan.

Dans le collimateur d'Obama, un règlement qui permet une opacité presque totale de l'utilisation des fonds publics et privés pour une campagne électorale. À Chicago, on se souvient de parlementaires qui utilisaient cet argent à des fins personnelles, pour s'offrir des vacances ou le dernier

---

1. Voir chapitre 1 et plus loin dans ce chapitre.
2. Entretien téléphonique avec l'auteur, 27 mars 2008.

modèle d'une belle voiture ! La loi passée, tout citoyen qui a donné de l'argent à un candidat peut désormais connaître le détail des dépenses de campagne.

Objectif : Springfield, Illinois

Une drôle de première campagne. En 1995, alors avocat et professeur de droit, Barack Obama décide de se lancer en politique. Le moins que l'on puisse dire est que le novice fait preuve d'audace. Voire d'irrespect. On peut même dire qu'il manifeste un savoir-faire retors. Nous sommes loin de l'image du jeune naïf que certains ont toujours de cet homme qui brigue la présidence des États-Unis ! Obama est habile ; c'est un politicien, un vrai. Récit.

Alice Palmer est une démocrate expérimentée et très respectée dans l'Illinois. Représentante de la 13e circonscription à l'Assemblée de l'État, elle brigue cette année-là l'un des mandats de représentant au Congrès fédéral à Washington. Palmer propose à Barack Obama de prendre son siège d'élu local à Springfield. Le jeune homme ne se fait pas prier longtemps. Tout va pour le mieux... jusqu'au moment où la candidature au Congrès d'Alice Palmer tombe à l'eau. La notable veut donc assurer ses arrières et demande à Obama de s'effacer afin qu'elle retrouve son siège d'élue locale. Non seulement ce dernier refuse, mais il décide de contester les signatures officielles autorisant Palmer à se présenter à l'élection. Obama gagne et fait campagne... sans opposant. À trente-cinq ans, le voici siégeant à Springfield.

En prenant ses quartiers dans la ville de Lincoln, Obama ne cache pas son ambition. Sa principale assistante au sein de sa circonscription se voit un jour rétorquer par son patron, après avoir pris une pause déjeuner un peu trop longue : « J'ai l'intention d'être Président. » Selon Cynthia K. Miller, Obama « n'a même pas levé la voix. Il s'est simplement retourné et lui a dit combien il était important de bien gérer son temps[1] ».

« J'ai rencontré Barack en 1996. Je travaillais alors avec le leader de la minorité au Sénat de l'Illinois[2]. Obama venait d'être élu. Facilement, il est vrai, puisqu'il n'avait pas d'opposant en face ! » Dan Shomon déguste une saucisse. Devant lui, un copieux petit déjeuner très « Midwest » : omelette, pommes de terre, salade, café, confiture et saucisses. Nous sommes dans un pub du centre de Chicago où il fait bon se réfugier compte tenu du froid extérieur[3]. « Je ne l'appréciais même pas lorsque nous avons commencé à nous côtoyer, rigole Shomon. C'est le genre de type qui veut réparer le monde en vingt secondes ! » Cette rencontre accouchera pourtant d'une étroite collaboration qui durera neuf ans. « Jusqu'en 2006 », précise celui qui est devenu directeur politique du sénateur.

Pendant cette décennie, Dan Shomon a compté les kilomètres effectués à ratisser l'État, du nord au sud, d'est en ouest. « 25 000 miles, facilement. » Shomon, la quarantaine corpulente, veut insister particulièrement sur le voyage de 1997. Le premier effectué par le tandem. Un événement fondateur de leur relation, mais également dans le parcours politique d'Obama. « Nous avions emporté nos clubs de golf dans le coffre de la voiture et nous nous arrêtions presque tous les jours sur un parcours », se souvient-il, nostalgique. Les deux hommes descendent vers le Sud conservateur. « Il y a quelques dirigeants noirs, là-bas. Mais j'insiste : ce n'est pas une question de couleur de peau. Barack a toujours eu un excellent contact avec tout le monde, Blancs et Noirs. En fait, il ne fait pas du tout attention aux différences. Il s'adresse aux gens de la même manière. »

Une gorgée de café chaud et Dan Shomon reprend, en s'essuyant la bouche avec une longue serviette blanche qui,

---

1. « Obama : a fresh face or an old-school tactician ? », *Los Angeles Times*, 8 septembre 2007.
2. Le chef de l'opposition au Parlement local.
3. Entretien avec l'auteur, 9 février 2007.

en Europe, servirait de drap. « Tout de même, il a appris quelques subtilités sur le racisme au cours de ce voyage », reconnaît-il. Mais la grande leçon, qui explique bien des choses *a posteriori*, est la suivante : Barack Obama a compris dès 1997 qu'il pouvait réellement se montrer ambitieux. « Ce qu'il a progressivement appris, même si ce voyage a sans doute tout déclenché, c'est qu'il pouvait rassembler des voix dans tout l'État, et non pas uniquement dans sa circonscription. Je lui ai dit : "Tu peux te présenter au niveau de l'État !" Ce sera chose faite en 2004. »

Un homme politique apprécié par ses pairs

À Springfield, Barack Obama a laissé le souvenir d'un homme intelligent, réfléchi, à l'écoute et à la recherche de consensus. C'est notamment ce que rapporte Kirk Dillard. Ce politicien cinquantenaire à la mine de bon vivant, natif de Chicago, est élu local de Westmont, une banlieue éloignée à l'ouest de la métropole. Il partage son temps entre la 24e circonscription et Springfield, la capitale de l'État, où siège le Parlement. Dans le lieu même où Abraham Lincoln avait fait ses armes. Là où Barack Obama a annoncé sa candidature à la Maison Blanche.

Son aspect bonhomme et accueillant ne doit toutefois pas tromper l'observateur. Dillard est un cador. Ancien secrétaire général du gouverneur de l'Illinois, cet avocat est toujours l'associé de l'un des plus gros cabinets de Chicago. Il est élu local depuis treize ans et est entré au Sénat de Springfield en 1993, soit une législature avant Barack Obama. Les deux hommes se sont vite appréciés, au point que Kirk Dillard est aujourd'hui un soutien de poids pour Obama dans sa course à la Maison Blanche. On l'a d'ailleurs vu, juste avant le caucus[1] de l'Iowa, témoigner au cours d'un spot publicitaire. Mais, contrairement à la majorité des

---

1. Voir définition, p. 153.

supporters du candidat, Kirk Dillard vient du camp opposé ; il est républicain.

Dan Shomon confirme l'aptitude de Barack Obama à rassembler. « C'est une habileté qu'il a développée progressivement, commente l'ancien directeur politique. Mais c'est quelqu'un qui n'a jamais été dans la confrontation. Ce n'est pas dans sa nature. » Dan marque une légère pause. « Il aime la politique, c'est certain », au sens de politique politicienne. Shomon se souvient qu'Obama « assistait à toutes les réunions du Parlement, même la plus petite. Il posait même souvent énormément de questions ». Pour Shomon, la capacité d'Obama à rassembler « est une réelle opportunité. Le pays est très divisé et je pense que l'Amérique est prête pour son message ».

Un réformateur pragmatique

« Barack est un vrai réformateur. Il est profondément attaché, depuis ses premières années d'élu local, à certains changements qu'il estime nécessaires. Mais c'est un pragmatique. Jamais il ne perdra de temps à batailler sur un principe s'il sait qu'il n'a aucune chance de bâtir un consensus autour. » Dan Johnson-Weinberger décrypte le phénomène Obama sous plusieurs angles. Basé lui-même à Chicago, il a rencontré Barack, comme il l'appelle, à l'université, où Obama était son prof de droit constitutionnel. Le séminaire portait sur la réforme du système électoral américain.

« À l'époque, nous étions un groupe de quatre à nous être intéressés à ce qu'on appelle l'"Instant Run-off System"[1]. Obama nous a beaucoup aidés. » À la fin des

---

1. Système à un tour permettant à l'électeur de lister, dans l'ordre de ses préférences, les candidats. Généralement, le candidat le plus consensuel l'emporte. Le maire de San Francisco (Californie), le président de la République d'Irlande ou le Parlement australien sont, par exemple, élus selon ce mode.

années 1990, Barack Obama est déjà sénateur à Springfield. Il siège du mardi au jeudi et enseigne le lundi et le vendredi. « Autant dire que le vendredi après-midi, nous n'étions qu'une quinzaine à suivre son cours, précise Dan. Malgré son emploi du temps très chargé, Barack nous accordait quelques réunions sur la question de cette réforme. Comme il s'y intéressait beaucoup, il nous a soutenus dans nos opérations de lobbying. » Voici donc le jeune étudiant de Springfield devenu « ombre du sénateur[1] », invité à le suivre partout, en Assemblée comme en commission. Dan a ensuite volé de ses propres ailes, mais il a toujours été en position de scruter les actions du jeune homme politique[2].

Lors de son premier mandat à Springfield, Barack Obama siège dans la minorité. Or le président du Sénat, un républicain, ne permet pas aux démocrates de proposer des lois. Mais le natif de Honolulu profite de la reconquête de la Chambre, l'autre assemblée du Congrès de l'Illinois, par son parti, pour présider la commission sur le système de santé. « Il s'est beaucoup concentré sur ce thème », confirme Dan Johnson-Weinberger. Lorsque les démocrates gagnent ensuite la majorité au Sénat, Obama peut enfin avancer ses pions. De façon décisive. Le plan « Family Care » est en grande partie le sien. Son vote permet à l'État d'élargir le nombre de citoyens ayant droit à une couverture de santé publique. Dan Johnson-Weinberger estime qu'il s'agit là de la plus grande victoire politique de Barack Obama : « Il faut rappeler qu'à l'époque, c'était extrêmement audacieux. Il pouvait paraître prématuré de pousser cette loi aussi agressivement qu'il l'a fait, mais cela a fonctionné. »

---

1. « Shadow a Senator ».
2. Précisons que Dan Johnson-Weinberger soutient ouvertement la candidature de Barack Obama dans la course à la présidentielle. S'il blogue parfois sur le site du sénateur, il n'est pas rattaché à l'équipe de campagne.

Un bilan équilibré

La liste des lois auxquelles Obama a apporté son soutien porte un éclairage intéressant sur les thèmes de prédilection du démocrate. Ainsi, en huit ans de mandat, entre le 8 janvier 1997 et le 4 novembre 2004 (les six premières sous majorité républicaine, les deux dernières sous majorité démocrate), Barack Obama a soutenu plus de huit cents textes de loi, dont[1] :
- 233 projets de loi concernant le système de couverture santé,
- 125 sur la pauvreté et l'assistance publique,
- 112 sur la délinquance, les condamnations et la peine de mort,
- 97 sur l'économie, le commerce et les finances,
- 62 sur l'éducation,
- 60 sur les droits civiques et les droits de l'homme,
- 35 sur les infrastructures et les travaux publics,
- 21 sur l'éthique,
- 21 sur l'administration,
- 20 sur l'environnement,
- 15 sur le contrôle des armes à feu,
- 15 projets de loi à portée symbolique ou commémorative,
- 6 sur les affaires militaires,
- 1 seule sur l'immigration.

Il apparaît ainsi clairement combien les questions de société semblent passionner l'élu local. Certes, le système de santé, l'éducation ou la pauvreté sont des chevaux de bataille classiques chez les démocrates, à l'échelon local comme au niveau national. S'il est logique que le thème de l'immigration, par exemple, ne soit pas aussi crucial dans l'Illinois qu'au Texas ou en Californie, il est intéressant de

---

1. « Obama's record in the Illinois Senate », NewYorkTimes.com, 29 juillet 2007.

noter le peu d'intérêt du jeune politicien pour l'économie. Barack Obama ne s'en cache pas : ce n'est pas sa formation. Mais parmi tous ces projets de loi, tous n'ont pas été votés par le Sénat.

Dans cette liste, qui a bien évidemment été scrutée par les adversaires du candidat et par les médias – et le sera encore et encore jusqu'au 4 novembre 2008 –, on peut souligner quelques temps forts.

L'économie et le social

Obama a voté pour l'augmentation du revenu minimum dans l'Illinois et a aidé à valider un rabais de 5 % supplémentaire sur l'impôt sur le revenu pour les familles aux salaires faibles (ce rabais est devenu permanent en 2003). Il a également enregistré plusieurs victoires dans la défense des travailleurs et des syndicats, comme sur le paiement des heures supplémentaires (le droit de l'État, plus protecteur, a pu supplanter le droit fédéral).

La santé

Sur le système « Health Care », il a soutenu la recherche sur les cellules souches, a corédigé une loi (« Health Care Justice Act ») rendant le système de couverture de santé universel dans l'État, s'est opposé aux restrictions du financement public de l'avortement et a présenté une loi, avec succès, favorisant des réductions de prix à l'achat de médicaments pour les personnes âgées et les handicapés.

La criminalité

Son bilan en la matière est intéressant. D'abord parce que Chicago n'échappe pas au phénomène des gangs ni à la violence par armes à feu. Ensuite, parce qu'Obama a manifestement cherché à concilier ses convictions – contre la violence et pour la réglementation de la vente d'armes – et sa volonté de ne pas trop contrarier ses opposants, voire ses potentiels électeurs, pour qui la tradition de détenir une arme est un droit garanti par la Constitution des États-Unis[1]. Ainsi, Obama s'est opposé à la possibilité de plaider pour l'autodéfense si la personne incriminée n'a pas le droit d'avoir une arme à domicile, mais, la même année (2004), il a autorisé les policiers et les militaires à la retraite à conserver leurs armes sous scellés. Pour ce que l'on appelle aux États-Unis les « crimes sérieux », l'élu local a obtenu que les gardes à vue soient filmées. Enfin, Barack Obama a été l'un des élus les plus actifs à obtenir de l'Illinois une réforme de la peine de mort, plus particulièrement un moratoire dans son application (2003).

Polémiques

Le bilan du candidat à la présidence a bien évidemment été scruté par ses adversaires, notamment lors des primaires. Une dépêche de janvier 2007[2], c'est-à-dire avant qu'Obama ne dévoile officiellement ses intentions, révèle que ses prises de position sur deux thèmes particulièrement sensibles aux États-Unis suscitent la controverse.

---

1. Le fameux Deuxième amendement à la Constitution stipule : « Une milice bien organisée étant nécessaire à la sécurité d'un État libre, il ne pourra être porté atteinte au droit du peuple de détenir et de porter des armes. » Il a été rédigé en 1791, au sein du « Bill of Rights » (Déclaration des Droits). Selon les partisans de cet amendement, au premier rang desquels la puissante National Rifle Association, il s'agit là d'un droit inaliénable. Ses opposants estiment quant à eux que ce texte doit être interprété différemment et qu'il ne s'agit pas d'un droit sans condition.
2. « Obama record may be gold mine for critics », Associated Press, 17 janvier 2007.

Le premier texte touche au droit à l'avortement. Depuis le début de sa carrière, Barack Obama avance un bilan infaillible en la matière. Il est définitivement *pro-choice*[1] et a reçu une note de 100 % de satisfaction du planning familial de l'Illinois. Mais, à l'occasion d'un projet de loi débattu en mars 2001, Obama est très critiqué : il s'oppose à la présence d'un second médecin, nécessaire dans le cas extrême – et rare – de la survie du fœtus après une interruption volontaire de grossesse[2]. Les plus extrêmes des militants *pro-life*, très bien organisés aux États-Unis, ont accusé les élus comme Obama de vouloir favoriser l'infanticide. Lors du débat de l'Assemblée, Obama avait justifié son choix en arguant vouloir protéger le droit à l'avortement, craignant qu'il ne soit fortement remis en question[3].

Le second sujet à controverse porte sur un vote d'Obama concernant l'autorisation donnée aux policiers retraités de conserver leur arme à domicile, sous certaines conditions. À cette occasion, le démocrate s'est attiré les foudres de ses amis politiques. Mais, sur ce dernier thème, il s'agit d'un cas isolé, Barack Obama ayant constamment prôné le contrôle de la vente des armes de poing. Ainsi, il a soutenu un projet de loi interdisant les armes d'assaut semi-automatiques et a encouragé un texte sur la limitation à l'achat d'une arme par mois dans l'Illinois. En 2001, il a proposé une loi obligeant les demandeurs d'un permis de port d'armes à passer un entretien avec un officier de police. La loi n'est pas passée... La tradition du Far West a la peau dure aux États-Unis, même dans le Midwest !

---

1. « Pro-choix », les anti-avortement étant *pro-life*, soit « pro-vie ».
2. Dans une telle situation, le rôle de ce second médecin consiste à prodiguer des soins, durant ces quelques heures, avant que le cœur s'arrête.
3. Aux États-Unis, le droit à l'interruption volontaire de grossesse ne fait pas l'objet d'une loi fédérale, mais il est garanti par un arrêt de la Cour Suprême, connu sous le nom de « Roe contre Wade », en 1973. La plus haute juridiction du pays laisse les États légiférer et réglementer l'avortement. Cet arrêt est toujours contesté de nos jours.

Un vote contesté

Curieusement, plus que ses votes sur tel ou tel projet de loi, c'est une procédure compliquée liée au mode d'emploi du Sénat de l'Illinois qui va attirer l'attention sur Obama. En plein cœur des élections primaires et avant le fameux Super Tuesday[1], ses adversaires démocrates John Edwards et surtout Hillary Clinton reprochent au sénateur d'avoir voté « présent » trop souvent lorsqu'il siégeait à Springfield.

Il faut ici préciser qu'en Assemblée, chaque député ou sénateur a la possibilité de voter « Ayes » (oui), « Nay » (non) ou tout simplement « Présent ». Concrètement, cela consiste à appuyer sur un bouton vert, un bouton rouge ou un bouton jaune. Presser ce dernier traduit une forme d'abstention. Et en huit années de présence au sein du Sénat local, Barack Obama a voté « présent » à cent vingt-neuf reprises[2]. C'est beaucoup, disent en substance ses adversaires. C'est peu, a répondu l'équipe de campagne d'Obama, précisant que le sénateur avait tout de même activement participé à l'adoption de plus de huit cents lois.

Lors d'un débat télévisé[3], Hillary Clinton a attaqué d'emblée sur ce point précis. « À cent trente reprises, le sénateur Obama a voté "présent". Ce n'est pas "oui", ce n'est pas "non", c'est "peut-être". » Barack Obama s'est défendu, estimant qu'il s'agissait là d'un faux débat et qu'il avait préféré voter « présent » au sujet de textes de lois trop techniques pour qu'il puisse les valider, même s'il affirme soutenir le thème en question. Une défense alambiquée, une explication qui vaut ce qu'elle vaut...

---

1. Voir chapitre 9.
2. « It's not just "Ayes" and "Nays" : Obama's vote in Illinois echo », *New York Times*, 20 décembre 2007.
3. CNN, 21 janvier 2008.

« Selon un dicton en vogue à Springfield, il doit bien exister une raison à ce que ce bouton soit jaune », plaisante Rich Miller, éditeur de *Capitol Fax* et spécialiste de la politique *made in Illinois*[1]. « Mais il ne s'agit pas toujours d'un vote lâche, s'empresse-t-il d'ajouter. Après y avoir beaucoup réfléchi, je ne pense pas qu'Obama était nécessairement lâche de voter "présent" pour ces lois. En fait, il pensait très probablement prendre la bonne décision, sans doute parce que, dans son esprit, elles devaient être anticonstitutionnelles. »

Il faut aussi convenir que, parfois, Obama a voté « présent » pour des lois qui obtenaient l'unanimité, voire, à quelques reprises, pour des lois qu'il avait lui-même coproposées ! Chris Mooney, professeur de sciences politiques à l'université de Springfield, fait à ce sujet la remarque suivante : « Cela ressemble bien à quelqu'un de très cérébral comme Obama, de pousser la réflexion sans doute un peu trop loin[2]. »

Dan Johnson-Weinberger, ardent défenseur de Barack Obama, réagit de manière plus cinglante à l'insinuation de Hillary Clinton. « C'est vraiment l'attaque politique la plus idiote que j'aie entendue dans cette campagne ; cela ne m'étonne pas des Clinton. Ce bouton jaune a une véritable raison d'être, et c'est un système plutôt intelligent : au Sénat de l'Illinois, il faut trente voix pour faire passer une loi ; lorsque la délibération reste figée autour de vingt-sept ou vingt-huit voix, un sénateur peut presser ce bouton jaune. Il dit ainsi : "Je suis avec vous, mais il manque tout de même quelque chose pour que je sois pleinement convaincu." À partir de ce point, les négociations pour affiner un texte peuvent donc aller plus loin et le texte peut ainsi être de nouveau présenté dès le lendemain. » Ainsi fonctionne le Parlement local, « selon un calendrier plus

---

1. Reportage de la National Public Radio, 23 janvier 2008.
2. *Ibid.*

court que celui de Washington. Le vote "présent" est un gage d'efficacité », conclut Dan.

Autre polémique jouant en défaveur d'Obama : le bilan « perdu ». « Je n'ai pas gardé un tel dossier, représentant huit années de travail au Sénat de l'État, parce que je n'avais pas les ressources nécessaires pour en assurer la conservation. Il a pu être jeté. Je ne suis plus allé au Sénat local depuis un certain temps, maintenant[1]. » Cet argument de Barack Obama, alors en campagne dans l'Iowa avant le premier caucus qui lançait la période des élections primaires[2], n'avait toutefois convaincu personne...

Comme l'avaient fait remarquer plusieurs journaux, cette absence d'archives tranche avec les quelque 78 millions de pages de documents et les 20 millions de messages électroniques, le tout rangé dans 36 000 boîtes, appartenant à Hillary Clinton lorsqu'elle était First Lady... Mais peine perdue aussi, la plupart de ces boîtes resteront scellées, même si la loi autorise Bill, ex-Président, à ouvrir sa correspondance à la presse. Mais il apparaît que la transparence n'est pas le point fort du couple.

Cela étant dit, une partie du travail du jeune élu demeure accessible au public. Selon son équipe de campagne, « Obama est connu pour ouvrir la voie à plus de transparence ». Un porte-parole, Ben LaBolt, précise : « La correspondance avec les agences de l'État et les dossiers sur les demandes formulées par le sénateur à ces mêmes agences au nom de ses électeurs, sont disponibles pour le public et ont été consultés par ses opposants et des membres de la presse[3]. » Plus malin, Obama en personne, au cours d'une conférence de presse dans l'Iowa, en pleine campagne des primaires, a lancé aux journalistes : « Je n'ai

---

1. « Obama : I didn't keep State Senate Records », Associated Press, 14 novembre 2007.
2. Voir chapitre 8.
3. « Obama : I didn't keep State Senate Records », Associated Press, *art. cit.*

pas tout un tas de dossiers sur ces années, mais dites-nous s'il y a des documents qui vous intéressent en particulier. » En terme de bonne volonté, on ne peut faire mieux, en apparence. Dans la pratique, c'est bien plus compliqué.

Selon le même porte-parole, la correspondance de Barack Obama avec le public n'a pas été conservée. Même chose pour ses relations écrites avec les lobbyistes, les associations reliées à l'État, ou les notes sur les projets de loi. Dommage.

Non à la guerre

2 octobre 2002. Un an après le traumatisme du 11 septembre 2001, l'entourage du Président Bush prépare l'opinion à une guerre éventuelle contre l'Irak, désignée comme refuge des terroristes d'Al Qaïda et comme menace imminente pesant sur la nation américaine. Ce jour-là, Barack Obama participe à Chicago à un rassemblement contre la guerre. Le jeune élu local n'en est peut-être pas tout à fait conscient, mais il prononce alors l'un des discours les plus importants de sa carrière, sur lequel il s'appuie encore durant sa campagne présidentielle. Il affiche un « non » très clair et résolu à la perspective d'une guerre contre l'Irak de Saddam Hussein. « Il n'y a pas de bonne guerre ou de mauvaise guerre, lance-t-il. Il y a des guerres stupides. » Malheureusement, il n'y avait aucune caméra de télévision à cette occasion. En 2008, son équipe de campagne s'en mord les doigts ! Un discours fondateur sans son ni image, à l'heure de la guerre électorale télévisuelle et d'Internet, c'est comme s'il n'avait pas existé !

À l'époque, Obama n'a pas encore annoncé son intention de briguer le siège de sénateur au Congrès fédéral. Il n'est lui-même pas certain de son avenir politique. Ce matin du 2 octobre, il se rend donc à un rassemblement dans le centre de Chicago. Les manifestants sont en grande majorité des Afro-Américains de sa circonscription et des

« libéraux », c'est-à-dire les électeurs démocrates les plus progressistes, souvent des Blancs de classe supérieure vivant sur les bords du lac Michigan. Selon les personnes présentes, le discours d'Obama marque les esprits. « C'était de loin le meilleur discours antiguerre que j'aie jamais entendu », affirme une militante démocrate de près de soixante-dix ans[1].

Le politicien revient sur ce jour-là. « J'avais remarqué que beaucoup de manifestants portaient des badges "La guerre n'est pas une option". Et je n'étais pas d'accord avec ce jugement, confie-t-il un an et demi plus tard[2]. Quelquefois, la guerre est une option. La guerre de Sécession était légitime ; la Seconde Guerre mondiale également. Alors, je me suis levé et j'ai dit ceci : "Je ne suis pas contre toutes les guerres. Je suis contre les guerres idiotes."[3] » Une invasion de l'Irak, selon lui, serait une « guerre fondée non pas sur la raison, mais sur la passion, non pas basée sur un principe, mais sur de la politique[4] ».

Concluons ici sur quelques extraits de sa déclaration : « Mon grand-père s'est engagé au lendemain de Pearl Harbor. Il a combattu dans l'armée de Patton. Il a vu les morts et les mourants à travers tous les champs de bataille en Europe ; il a entendu les témoignages de ses camarades qui furent les premiers à entrer à Auschwitz et Treblinka. Il a combattu au nom d'une plus grande liberté, au sein d'un arsenal de démocratie qui a triomphé du mal, et il ne s'est pas battu en vain. Je ne m'oppose pas à toutes les guerres […]. Je m'oppose à une guerre stupide. Je m'oppose à une guerre irréfléchie […]. Je m'oppose à la tentative d'imposteurs politiques tels que Karl Rove de nous faire oublier l'augmentation du nombre de personnes sans couverture médicale, la hausse du taux de pauvreté, la baisse du

---

1. « The candidate », *The New Yorker*, 31 mai 2004.
2. *Ibid.*
3. En anglais, *dumb war*.
4. Au sens de « calcul politique ».

revenu moyen, les scandales financiers et une Bourse qui vient de vivre son pire mois depuis la Grande Dépression [...]. Permettez-moi d'être clair : je ne me berce pas d'illusions sur Saddam Hussein. C'est un homme brutal. Un homme sans scrupules. Un homme qui massacre son propre peuple pour assurer son propre pouvoir. Il a de multiples fois défié les résolutions de l'ONU, a contrecarré les équipes d'inspection de l'ONU, a développé des armes chimiques et biologiques, et il cherchait à obtenir une force de frappe nucléaire. C'est un sale type. Le monde, et le peuple irakien, seraient mieux sans lui. Mais je sais aussi que Saddam ne représente aucune menace immédiate ni directe pour les États-Unis. [...] Je sais que même une guerre réussie contre l'Irak exigerait une occupation américaine d'une période indéterminée, pour un coût indéterminé, avec des conséquences indéterminées. Je sais qu'une invasion de l'Irak sans raisonnement clair et sans soutien international fort ne fera qu'envenimer la situation au Moyen-Orient. »

L'affaire Rezko

Son nom a longtemps fait trembler l'équipe de campagne de Barack Obama. Dans l'entourage du candidat à la présidence, on priait secrètement pour que la « bombe » n'explose jamais. En vain. Le plan B, en parallèle, s'ébauchait au cours des premières semaines de campagne : comment riposter si, d'aventure, l'« affaire » venait à faire les grands titres des journaux ? David Axelrod, le stratège en chef de la campagne présidentielle, avait vu juste. En bon connaisseur du microcosme de Chicago, il savait que les adversaires d'Obama exploiteraient la faille. Pour ainsi dire, la seule grosse faille de la candidature du sénateur. Une faille qui exhale une odeur de soufre. Le type de scandale qui, aux États-Unis, peut torpiller pour toujours un homme politique en pleine ascension.

« Vous ne savez pas qui est Tony Rezko ? » John Kass s'en étrangle presque. « Faites une recherche et vous verrez. » Le journaliste du *Chicago Tribune* parle précisément la veille de la déclaration de candidature d'Obama[1]. À l'époque, le nom du jeune sénateur n'est pas connu au-delà du cercle des spécialistes et de ses lecteurs. Mais Kass sent déjà qu'Obama ne restera pas dans les abîmes des sondages et que, s'il devient un candidat sérieux dans la course, le nom de Tony Rezko surgira tôt ou tard.

L'affaire Rezko remonte pour Obama à ses années Chicago. Elle est liée à son installation dans la *Windy City*. Antoin « Tony » Rezko est promoteur immobilier. D'origine syrienne (il est né à Alep), ce quinquagénaire a fait fortune sur les friches de Chicago, notamment dans la partie sud de la ville, où Barack Obama a longtemps œuvré comme travailleur social. Sa société, Rezmar Corporation, rachète notamment à bas prix des immeubles délabrés, les restaure et revend le tout, à la découpe ou en entier. Aujourd'hui, Tony Rezko est en prison. Il a été condamné pour corruption, après un pénible procès médiatique dans le Midwest.

Rezko et Obama font connaissance au tout début des années 1990. Les dates ne sont pas tout à fait précises : 1990 ou 1991 selon les sources. Obama se fait remarquer comme premier Africain-Américain à diriger la *Harvard Law Review*. À la suite d'un article, Tony Resko fait une offre d'emploi spontanée à l'avocat, visant à s'occuper de la construction d'habitats à Chicago. Obama décline poliment, mais les deux hommes se lient d'amitié ; et c'est là que tout se complique...

Il faut clairement distinguer deux polémiques liées à cette relation. La première a été lancée par Hillary Clinton en personne, au cours d'un débat télévisé pendant les primaires. Elle est balayée d'un revers de main par Jeff Cummings. Sur CNN, au moment où les deux candidats démocrates sont au coude à coude et à quelques jours de

---

1. Entretien avec l'auteur, 9 février 2007.

la primaire de Caroline du Sud, Barack Obama attaque l'ex-First Lady sur sa présence au conseil d'administration de Walmart[1] pendant qu'il travaillait « dans les rues de Chicago ». Clinton, véritable bête politique, répond du tac au tac : « Et vous, vous travailliez chez Miner, Barnhill & Galland pour un client nommé Rezko, [...] votre propriétaire pourri[2]. » Une accusation, en direct, devant des millions de téléspectateurs et électeurs démocrates potentiels, qui a eu le don d'énerver Cummings – et c'est peu de le dire. Il sort une feuille de son dossier et dit platement : « Nous avons même dû préparer un communiqué de presse[3]. »

L'avocat précise ainsi que « jamais Tony Rezko n'a été client du cabinet ». Le récit qui suit mérite en effet qu'on y prête attention. « Nous sommes en 1994. Nous représentions à l'époque Woodland Reservation Investing Corporation (WRIC), une association à but non lucratif, dont le projet est d'améliorer l'habitat dans les communautés qui en ont besoin. Vous me suivez ? » Jeff lève ses yeux de la feuille en question, vérifie que l'on comprend bien. Et poursuit lentement en insistant sur ses mots : « Ce client a commencé à peu près au même moment un rapprochement avec Rezmar Corp, la société de Rezko, à but totalement lucratif. C'était donc un choix de notre client qui n'avait rien à voir avec nous. »

Cummings veut tout de même resituer le contexte de l'époque du monde de l'immobilier à Chicago. « Il faut savoir que dans les années 1980 et le début des années 1990, Rezko et sa firme avaient bonne réputation. » C'est à cette période qu'Obama entre dans la danse. « À la demande de notre client WRIC, Barack a aidé à établir le rapprochement légal avec Rezmar, puisqu'il connaissait Rezko par ailleurs. » En résumé, le jeune avocat a trouvé les passerelles légales et mis en forme le contrat de partenariat

---

1. Hillary Clinton y a siégé de 1986 à 1992.
2. *Slum landlord.*
3. Entretien avec l'auteur, 10 mars 2008.

entre les deux entités. « Nous avons fait des recherches au cabinet, reprend Jeff Cummings. Et je peux dire tout à fait officiellement que Barack Obama n'a travaillé sur ce dossier que cinq heures. » Une goutte d'eau, en effet, dans une semaine chargée d'un avocat...

Selon le juriste, la suite de l'opération est claire : « Le dossier sur lequel nous travaillions pour WRIC s'intitulait le Drexel Appartments Project. Il s'agissait de rénover une ancienne maison de repos totalement à l'abandon. » L'immeuble a été acquis par l'attelage WRIC-Rezmar. « Toute la procédure a suivi la chaîne classique d'approbation : la ville de Chicago, le Chicago Equity Fund et l'État de l'Illinois. » Fin de la première « affaire Rezko ».

L'autre polémique s'annonce beaucoup plus problématique pour le candidat, et cette fois pour des raisons plus fondées. Elle a même poussé Barack Obama à se justifier longuement, au moment où il prend l'ascendant sur Hillary Clinton. Le sénateur se rend en effet au siège du *Chicago Tribune* et s'exprime, micro ouvert, pendant une heure et demie, sur ses relations avec Rezko. Un bel exemple de transparence. Et de *damage control*[1] ! Explications.

Après leur rencontre, l'homme d'affaires et l'avocat ne vont pas se perdre de vue. Lors de sa première campagne électorale, Rezko apparaît être le plus gros donateur d'Obama. À hauteur « d'environ 50 000 à 75 000 dollars », soit plus de 10 % du total de ses dépenses. Apparemment, il croit en l'étoile du jeune politicien. Le magnat de l'immobilier a également contribué à toutes les autres campagnes électorales de Barack Obama pour un montant global de 250 000 dollars. Mieux (ou pire), les deux hommes ne font pas que du business ; selon les dires d'Obama, ils déjeunent environ deux fois par an, et les deux couples auraient dîné ensemble « entre deux et quatre fois ».

Le problème aurait pu s'arrêter là. Mais les choses s'enveniment en 2005, lorsqu'un investissement et un arrangement

---

1. « Obama : I trusted Rezko », *Chicago Tribune*, 15 mars 2008.

douteux rassemblent les deux hommes. Fin 2005, le tout nouveau sénateur fédéral et son épouse cherchent à acheter une maison. Michelle et Barack ne veulent certes pas quitter la South Side de Chicago, mais le salaire de Michelle (316 962 dollars par an en tant que vice-présidente de l'Hôpital universitaire de Chicago[1]), les droits d'auteur du best-seller de Barack et l'avance sur de futurs livres permettent au couple d'envisager l'acquisition d'une belle propriété. Leur dévolu se porte sur une bâtisse de charme, construite voilà quatre-vingt-seize ans, comportant quatre cheminées et une cave à vin. Elle est située entre le campus boisé de l'université de Chicago et les rives du lac Michigan, où Barack a l'habitude de faire son jogging matinal. Le prix : 1,95 million de dollars. Le terrain attenant, un grand jardin, appartient au même domaine. Mais les propriétaires souhaitent dissocier la vente de la maison et du terrain vide. Le prix de ce dernier s'élève à 625 000 dollars.

Le 15 juin 2005, les Obama acquièrent la maison, via une société créée pour l'occasion, pour la somme de 1,65 million. Soit 300 000 dollars de moins que le prix demandé. À cette fin, le couple a obtenu un prêt de 1,32 million de dollars à la Northern Trust[2]. Le même jour, le terrain attenant est vendu pour la somme de 625 000 dollars à... Rita Rezko, épouse de Tony. Elle aussi a dû emprunter, pour une somme d'un demi-million de dollars, à la Mutual Bank of Harvey. La coïncidence est troublante. Plusieurs questions se posent.

Obama savait-il que son ami Tony s'apprêtait à acheter la parcelle à côté de sa nouvelle maison ? Si oui, y a-t-il eu entente sur le prix ? En clair, Obama, qui a obtenu une ristourne conséquente, a-t-il reçu une aide occulte de Rezko, pour une quelconque contrepartie future de la part du sénateur fédéral ? Surtout, pourquoi Obama s'est-il risqué à

---

1. « Rezko owns vacant lot next to Obama's home », *Chicago Tribune*, 1er novembre 2006.
2. *Ibid.*

une telle association, sachant que Tony Rezko faisait l'objet d'une enquête de la justice fédérale américaine ?

C'est à toutes ces questions que Barack Obama a tenté de répondre lors de sa longue entrevue avec les journalistes du *Tribune*, dont ce cher John Kass. Dans la grande tradition de la presse américaine, le quotidien se fendra dès le lendemain d'un compte rendu exhaustif de cette rencontre pour le moins délicate pour le candidat[1]. Cela a commencé par un *mea culpa* en règle d'Obama. « Mon erreur n'a pas simplement été d'engager une transaction avec Tony parce qu'il avait des problèmes judiciaires, dit-il d'emblée. L'erreur est surtout qu'il était un contributeur et qu'il était impliqué en politique. » Et d'ajouter que les électeurs doivent regarder cette histoire comme « une erreur, car ne voyant pas le conflit d'intérêt potentiel ».

Mais le candidat à la présidence se défend d'avoir commis la moindre faute, au sens juridique. Ces mêmes électeurs doivent aussi voir Obama « comme quelqu'un qui n'a rien commis de mal et en qui ils peuvent avoir confiance ». Lorsqu'on lui demande s'il n'a pas été naïf de s'associer avec quelqu'un faisant l'objet d'une enquête du FBI, Obama répond candidement qu'il a bien évoqué ces problèmes avec Rezko, qui a aussitôt démenti toute sorte de méfaits. « Mon instinct me poussait à le croire. » Et lorsque les journalistes du *Tribune* poussent un peu, suggérant que Rezko pouvait attendre un renvoi d'ascenseur de la part du sénateur, Barak Obama assure que non. « Précisément parce qu'il ne m'a jamais rien demandé depuis toutes ces années. »

John Kass n'en attendait pas tant. Ce pourfendeur du monde politique corrompu de Chicago se livre à son tour à un compte rendu de l'interview, à sa manière : « Barack Obama m'a regardé droit dans les yeux. Je l'ai écouté parler. Mais, contrairement à d'autres, je n'ai senti aucun

---

1. « Obama : I trusted Rezko », *Chicago Tribune*, art. cit.

frisson remonter le long de ma jambe[1]. » La suite est du même acabit, mais le chroniqueur argumente. Pour lui, il ne fait aucun doute que toute cette histoire est louche. Comment peut-il d'ailleurs en être autrement dans un marigot comme Chicago ? « Après que les autres étages se sont vidés, et alors que plus personne ne traînait dans les couloirs, comme les groupies de Bono à un concert de U2, je demeurai seul avec un problème : Obama nous demande de croire qu'il peut nager dans les égouts de la politique de l'Illinois sans attraper froid ; il nous dit que Rezko l'a aidé à avoir la maison de ses rêves, mais qu'il ne s'est pour autant jamais senti redevable d'un quelconque renvoi d'ascenseur... Vous savez, je crois que je suis trop vieux pour croire aux contes de fées », conclut laconiquement John Kass.

La plume affûtée du chroniqueur couche sur le papier une encre bien acide. « Que dira-t-il lorsque Vladimir Poutine de Russie demandera au Président Obama de le croire ? » L'attaquant sur sa supposée naïveté, John Kass obtient du candidat à la Maison Blanche la réponse suivante : « Je pense que vous avez tous suivi ma carrière depuis un moment. Je crois que j'ai fait du bon boulot en progressant politiquement dans ce contexte, sans être impliqué dans les problèmes qui sont traditionnels à Chicago », dit-il dans une allusion aux affaires de corruption.

John Kass émaille tout de même son récit de petites douceurs. Ainsi, il révèle qu'après l'interview, Obama et lui se sont entendus en plaisantant sur le fait de « fumer une cigarette ensemble après l'élection – en n'en disant naturellement rien à nos femmes, puisque nous avons tous les deux arrêté de fumer ». Puis le chroniqueur conclut : « Je suis en désaccord avec sa politique, mais j'aime bien l'homme. Et j'ai presque aimé ses réponses. Presque. »

L'affaire Rezko ne s'arrête toutefois pas tout à fait là. Elle a en tout état de cause déjà mis en lumière un aspect plus

---

1. « Obama opens up on Rezko, and it's almost believable », *Chicago Tribune*, 16 mars 2008.

secret de l'homme qu'est Barack Obama. Un côté calculateur, selon ses détracteurs ; trop optimiste, pour ses fidèles. Ainsi, au fur et à mesure que les médias s'intéressaient à ses liens avec ce promoteur immobilier alors aux portes de la prison, Obama n'a pas toujours soutenu la même version des faits. Notamment au sujet de la hauteur des contributions financières de Rezko à ses différentes campagnes. Ainsi, alors qu'il n'est pas encore officiellement candidat à la présidence des États-Unis, Obama parle de 8 000 dollars donnés à ses campagnes pour son mandat local, et de 11 500 dollars pour sa campagne de 2004, qui l'a propulsé à Washington[1].

Lors de son « interview transparence » de mars 2008, le sénateur révèle que Rezko « a levé environ 160 000 dollars lors des primaires pour le Sénat en 2004 ». Cela ne signifie pas qu'il ait personnellement fait des dons de cette somme, mais qu'il a convaincu d'autres donateurs. Autre « oubli » : le stage de quinze jours effectué par un certain John Aramanda, fils d'un contributeur d'Obama, à son bureau du Sénat en 2005. La demande de stage a été relayée par Rezko. L'équipe de communication du candidat n'en aura informé la presse qu'en décembre 2006. Mais en l'état actuel des connaissances, il n'y a pas de preuve de liens liés à des fraudes entre Barack Obama et Antoin Rezko. Rideau.

---

1. « Rezko owns vacant lot next to Obama's home », *Chicago Tribune*, art. cit.

6

Junior U.S. Senator

L'atmosphère provinciale de Springfield devient assez vite ennuyeuse pour Barack Obama. Le sénateur se trouve à l'étroit au Capitole de l'Illinois et développe très rapidement un intérêt croissant pour les jeux de la politique nationale. La grande, celle pratiquée par les cadors de Washington, sous la vaste coupole du Congrès des États-Unis. Les détracteurs d'Obama parlent d'une ambition dévorante, d'un ego surdimensionné ; et les faits semblent leur donner raison, tant il dévoile rapidement ses visées politiques, au point de s'y brûler les ailes, selon certains. Mais peut-être est-ce aussi l'envie de servir le public...

La « fessée » du millénaire

L'histoire d'amour entre Obama et Washington débute pourtant mal. Membre du Congrès de l'Illinois depuis seulement 1996 – ce qui représente une période couvrant un mandat –, Barack Obama décide de changer de braquet. À la fin de l'année 1999, il a en ligne de mire le siège de représentant de la première circonscription de l'Illinois au Congrès[1].

---

1. Le Congrès des États-Unis, qui siège au Capitole, à Washington DC, est composé de deux chambres. La Chambre des représentants,

Au niveau fédéral, donc. Mais, pour cela, Obama doit batailler dans le cadre d'une primaire au sein du parti démocrate.

Il décide de se présenter dans son quartier ; cette circonscription est découpée sur une partie du quartier noir de Chicago (deux tiers de Noirs sont recensés dans la circonscription) et son élu a toujours été un Africain-Américain. Au moment où il se lance dans la course, le représentant sortant, Bobby Rush, vient de subir une défaite cinglante aux élections municipales, tentant, sans succès, de battre le maire de Chicago, Richard Daley. Toujours membre du Congrès, il a également donné l'impression de vouloir voguer sous d'autres cieux. Obama espère donc ravir le siège d'un sortant qui semble en position vulnérable.

Mais le jeune élu local sous-estime son adversaire ; pire : il commet une erreur de jugement. Car Bobby Rush est une légende vivante dans la South Side. En 1968, il fut l'un des fondateurs des Black Panthers de l'Illinois, ce groupe militant radical en faveur des droits civiques. Élu de la circonscription depuis 1992, cet ancien pasteur baptiste demeure très populaire, notamment pour avoir fait voter des programmes spéciaux sur l'apport de nourriture et l'accès aux soins médicaux pour les plus pauvres. De plus, Obama n'habite pas le quartier le plus déshérité du district. Il vit en effet à Hyde Park, joli terrain boisé qui jouxte l'université de Chicago, où il enseigne alors. C'est une zone résidentielle, où Blancs et Noirs cohabitent.

Lorsque la campagne pour l'élection primaire entre Rush, Obama et un troisième candidat démarre en mars 2000, le nom de Rush est connu de 91 % des habitants ; Obama

---

l'équivalent de l'Assemblée nationale française, compte quatre cent trente-cinq membres élus dans des circonscriptions comptant toutes le même nombre d'habitants. Le Sénat, qui est l'assemblée haute, représente le système fédéral ; on y dénombre cent sénateurs, soit deux par État, quelle que soit sa population.

plafonne quant à lui à 11 % de « notoriété[1] » dans le quartier. La campagne de Bobby Rush repose sur un principe clair : Obama n'est « pas des nôtres ». Son CV impressionnant... n'impressionne guère Rush. « C'était un peu le Black Panther contre le professeur d'université », juge Eric Adelstein, alors membre de l'équipe de Bobby Rush[2].

Mais le tournant de la campagne des primaires a lieu cinq mois avant l'élection cruciale. Le fils de Bobby Rush, Huey, vingt-neuf ans, est tué par balle dans une rue du quartier. L'émotion dans ces quartiers sud de Chicago est considérable et les derniers électeurs hésitants expriment massivement leur soutien à Rush.

Deux autres épisodes mettent fin aux espoirs de Barack Obama. Le premier lui est entièrement imputable. Alors qu'il se trouve à Hawaii avec Michelle et les enfants afin de rendre visite à sa grand-mère, Obama manque un vote crucial à l'Assemblée. Avec d'autres élus, il se fait tancer le lendemain dans un éditorial au vitriol du *Chigaco Tribune*. S'il tente une défense tardive un peu naïve (sa fille avait de la fièvre, ce qui explique qu'il n'a pu quitter les siens pour aller voter au Sénat, avance-t-il), cela n'arrange pas son cas.

Le coup de grâce provient de la Maison Blanche. Alors qu'il n'est pas dans les habitudes du Président d'intervenir dans une élection primaire, Bill Clinton décide de soutenir publiquement Bobby Rush. C'en est fini des ultimes espoirs du jeune Obama, qui ne rassemblera que 30,36 % des voix, contre 61,02 % à son adversaire. Ce sera en des termes directs qu'Obama résumera son aventure électorale. « Il m'a mis une déculottée[3]. »

Retour à la case Springfield. « Avec le recul, j'avais très peu de chances d'emporter cette élection, analyse-t-il sept ans après[4]. C'était une bonne leçon pour comprendre qu'il

---

1. *Name recognition* en anglais.
2. « In 2000, a Streetwise veteran schooled a bold young Obama »,
New York Times, 9 septembre 2007.
3. *« He spanked me. »*
4. « In 2000, a Streetwise veteran... », *New York Times*, art. cit.

ne faut jamais être trop impressionné par ses propres idées si votre notoriété ne dépasse pas 8 ou 10 % dans votre propre circonscription. »

À l'assaut du Sénat

Une chose est néanmoins certaine : Barack Obama apprend vite. Durant cette campagne de 2000, le sénateur a tout de même compris une chose : l'argent fait la politique. Sans fonds, aucune campagne électorale n'est viable. Malgré ses erreurs, Obama a su convaincre, des mois durant, les riches notables de Chicago. D'une certaine façon, même s'ils savaient qu'Obama ne gagnerait pas contre Rush, ces derniers prenaient date pour l'avenir.

Au final, il aura levé pour sa campagne une somme totale d'un demi-million de dollars. C'était moins que Rush, mais il s'agit indéniablement d'une performance impressionnante pour un nouvel entrant en politique. Obama a utilisé ses réseaux de Harvard et de l'université de Chicago, mais il a aussi frappé aux bonnes portes. Son charme, son bagout lui ont ensuite permis d'obtenir tous ces financements. De riches familles de la région, tels les Crown et les Pritzkers, n'ont ainsi pas hésité à jouer les mécènes.

« Je l'ai rencontré au premier trou, raconte Steven Rogers, ancien businessman à Chicago, en se remémorant un parcours de golf avec Obama en 2001. Au sixième trou, il me dit : "Steve, je veux me présenter au Sénat." Et au neuvième trou, il me révèle qu'il a besoin d'aide pour éponger quelques dettes[1] ! » L'anecdote est sans doute réelle. Elle justifie l'audace d'Obama, son ambition et également son talent de communicant.

Après son premier échec, Barack Obama se trouve en effet endetté à hauteur d'environ 20 000 dollars ; autant dire

---

1. « After 2000, Obama built donor network from roots up », *New York Times*, 3 avril 2007.

que les indicateurs sont déjà dans le rouge lorsqu'il s'élance
à la conquête d'un siège de sénateur, cette fois-ci, en 2004.
Et pourtant... Trois mois à peine après avoir annoncé sa
candidature, Obama parvient à lever 250 000 dollars, après
s'être patiemment tissé un réseau de donneurs fiables,
entre les riches magnats de l'immobilier de Chicago,
quelques producteurs de Hollywood, comme David
Geffen[1], ou encore le multimilliardaire George Soros, tous
impressionnés par son talent et spéculant à plus long terme
sur sa future carrière. Car, en vérité, peu de monde croit
aux chances qu'a Barack Obama de conquérir Washington.
Beaucoup de ses amis pensent que c'est trop tôt, après sa
déconvenue de 2000. Mais, dès 2002, Obama est convaincu
que son heure est venue.

David Axelrod, une rencontre décisive

La petite moustache distille une impression de malice
contenue. La coiffure – des cheveux rabattus sur une calvi-
tie mal assumée – est quelque peu démodée. L'homme
porte ses petites lunettes sans cadre tout au bout d'un long
nez. David Axelrod ne paie pas de mine. Sympa, débon-
naire, accessible. Ce New-Yorkais fan des Mets, l'équipe
rivale des Yankees en base-ball (« Born and raised »,
comme on dit dans la Grosse Pomme, c'est-à-dire « né et
élevé »), vit déjà à Chicago depuis de nombreuses années
lorsqu'il fait la rencontre de Barack Obama. Il est venu
dans la « ville du vent » pour y faire ses études de sciences
politiques. Puis il y a trouvé un emploi de reporter politique au *Chicago Tribune*.
Huit années durant, Axelrod écrit sur la politique locale
et nationale. Ce sont les années Reagan, un Président

---

1. Le *G* des studios Dreamworks-SKG : Spielberg, Katzenberg & Geffen.
Geffen fut également l'un des tout premiers soutiens d'Obama dans sa
campagne présidentielle.

républicain dont il exècre la politique. Alors, déjà passionné par ce microcosme, il va franchir le pas et passer de l'autre côté de la barrière.

En 1984, il devient ainsi consultant politique, spécifiquement dévoué au parti démocrate et à ses membres. Dans un premier temps, il intervient surtout en faveur des candidats démocrates de l'Illinois, avant d'étendre son influence et ses conseils au niveau national. Une certaine Hillary Clinton, Eliot Spitzer, futur gouverneur de New York, ou encore Tom Vilsack, futur gouverneur de l'Iowa, font partie de ses clients. Sa première passion, le journalisme, le démange encore et Axelrod initie souvent des projets de documentaires, notamment avec son ami Bob Hercules[1]. Axelrod fonde sa société de conseil à la fin des années 1980, AKP Media, à Chicago. Ses partenaires, John Kupper et David Plouffe, se retrouvent aujourd'hui également autour de Barack Obama.

Axelrod et Obama se rencontrent ainsi une première fois dans les années 1990. Le courant passe bien. Mais c'est en 2002 que le jeune élu africain-américain frappe à la porte du conseiller, pour lui confier qu'il entend se présenter au Sénat dès 2004. David Axelrod lui recommande d'attendre son tour et d'envisager plutôt une candidature à la mairie de Chicago. Mais Obama ne veut pas attendre[2]. En 2004, l'attelage sera vainqueur, et plus rien ne les séparera jamais. Obama a alors quarante-trois ans, Axelrod quarante-neuf. Il devient le stratège en chef de la campagne présidentielle de 2008. Il façonne le message d'Obama, la « bande-annonce » de sa vie. Le metteur en scène est particulièrement doué. Et même populaire au sein de l'équipe.

---

1. Voir chapitre 10 et le voyage de Barack Obama en Afrique.
2. « The Player at Bat », *Washington Post*, 2 mai 2008.

La Convention de Boston

27 juillet 2004. La Convention nationale du parti démocrate est réunie au Fleet Center de Boston, le stade *indoor* de l'équipe de basket des Celtics. Ce rendez-vous estival, qui se déroule tous les quatre ans, constitue une sorte de respiration primordiale dans la vie des deux grands partis américains. Les militants affluent de tout le pays. Les délégués, élus lors des élections primaires[1], y désignent officiellement le « ticket » de leur parti à la présidence et à la vice-présidence des États-Unis. Cette année-là, les démocrates sont dans l'opposition. Face au Président Bush qui se représente pour un second mandat, les démocrates ont choisi un patricien, John Kerry, sénateur du Massachusetts, qui joue à domicile. Il choisit pour vice-Président John Edwards, ancien sénateur de Caroline du Nord, qui passe pour plus modéré, alors que Kerry est vu comme plus « libéral ».

Mais un troisième invité va ce soir-là leur voler la vedette. Ce 27 juillet, en fin d'après-midi, la scène politique américaine va découvrir un nouveau visage, une nouvelle « bête », un spécimen rare. Barack Obama se trouve sous l'immense podium. Cet espace a été spécialement aménagé pour que les orateurs puissent répéter leur texte à l'abri des regards, en conditions réelles, avec prompteur.

Outre Obama, trois personnes sont présentes : Michelle, son épouse, l'ancien Président Bill Clinton, ainsi qu'un certain John Emerson, ami intime des Clinton et l'un des « tauliers » du parti. À la Maison Blanche, il faisait le lien entre le Président et les cinquante gouverneurs d'États du pays. Une fonction de l'ombre, mais primordiale dans le fonctionnement de l'exécutif au sein du système fédéral.

Emerson se souvient : « J'ai fait la connaissance de Barack bien avant la Convention. C'était à Los Angeles, où des amis communs m'avaient demandé de le rencontrer,

---

1. Voir chapitre 8.

car il cherchait des appuis et des financements pour sa campagne pour le Sénat. » Les deux hommes prennent un petit déjeuner ensemble. « Je me souviens avoir dit à ma femme, en rentrant : "Chérie, je viens de rencontrer le futur Bill Clinton." » Emerson ne plaisante pas en disant cela, dans son bureau situé dans un gratte-ciel de Los Angeles[1]. Aujourd'hui dans le privé – la banque –, John Emerson, la cinquantaine, est directeur de campagne adjoint en Californie de Hillary Clinton. Il est surtout l'un de ses plus gros rabatteurs financiers.

Mais, en 2004, Barack Obama n'est connu que des experts du parti démocrate. Le grand public n'en a jamais entendu parler. John Kerry en personne lui a pourtant demandé de prendre la parole dans « sa » Convention. Obama, de son propre aveu, ne sait pas trop quoi dire. Il décide de parler de lui et de sa vision idéale des États-Unis, ébauchant son discours sur le papier quelques jours seulement avant son intervention. Le jour venu, Clinton et Emerson sont sous le charme. « Bill était venu l'encourager. Il savait qu'il était un grand espoir pour le parti, révèle John Emerson. Michelle était là, le couvait du regard. Nous assistions à cette répétition en privé et c'était passionnant. »

Lorsque Obama monte sur la scène et prend la parole, le silence se fait parmi les vingt mille spectateurs. Le discours, comme tous les autres, est retransmis en direct à la télévision, en *prime time*. Obama crève l'écran ; une star politique vient de naître en direct.

« Ce soir, je vis un honneur particulier, car – soyons franc – ma présence sur cette scène était assez improbable. Mon père était étudiant étranger, né et élevé dans un petit village au Kenya. Il a grandi en gardant des troupeaux de chèvres, est allé à l'école dans une baraque au toit d'étain. Son père, mon grand-père, était cuisinier en service domestique. [...] Il n'y a pas une Amérique de gauche et une Amérique conservatrice – il y a les États-Unis d'Amérique. Il

1. Entretiens avec l'auteur, 18 décembre 2007 et 17 juin 2008.

n'y a pas une Amérique noire, une Amérique blanche, une Latino-Amérique et une Asiatico-Amérique ; il y a les États-Unis. Les experts politiques aiment découper notre pays en tranches et en États rouges et États bleus ; États rouges pour les républicains et États bleus pour les démocrates. À ces gens-là, j'ai quelque chose à révéler. Nous vénérons un Dieu terrible dans les États bleus et nous n'aimons pas quand les agents fédéraux fouinent dans nos bibliothèques dans les États rouges. Nous entraînons des équipes de Little League dans les États bleus et nous avons des amis gays dans les États rouges. Il y a des patriotes qui s'opposent à la guerre en Irak et des patriotes qui la soutiennent. Nous sommes un peuple, rendons tous hommage à la bannière étoilée, nous défendons tous les États-Unis d'Amérique. »

Dès le lendemain, la presse évoque la prestation d'Obama avec enthousiasme, attestant qu'on entendra encore ce drôle de nom.

Une élection facile

Porté par cette nouvelle popularité, Barack Obama se présente au Sénat des États-Unis. Le 7 novembre 2004, l'Amérique vote pour se doter d'un Président, mais aussi pour renouveler intégralement la Chambre des représentants et un tiers du Sénat. La chambre haute est la plus prestigieuse du Congrès. Les sénateurs, au nombre de cent, représentent le système fédéral – ils sont deux par État, quelle que soit leur taille –, et non une circonscription. Par conséquent, on ne part pas vraiment « à l'abordage » du vénérable Sénat. On y vient sur la pointe des pieds. Et Obama l'a compris.

La décision de se présenter remonterait à 2002. Il l'annonce alors à ses amis au cours d'un brunch. À l'époque, Obama éponge encore la dette de sa déroute électorale de 2000. Mais le sénateur de l'Illinois apparaît pressé. En janvier 2003, il annonce publiquement sa candidature. Le sénateur sortant, le républicain Peter Fitzegerald, ne se représente pas après un seul mandat. Son prédécesseur a également jeté l'éponge. Patiemment, Barack Obama reconstitue son réseau de « grands argentiers », ceux-là mêmes qui avaient déjà mis la main à la poche en 2000. Mais, au sein du parti démocrate, ils ne sont pas moins de sept candidats sur la ligne de départ.

Lors de la primaire de mars 2004, Obama recueille 52 % des voix, plaçant son premier rival, Dan Hynes, à 29 points derrière lui. Il faut dire que les autres démocrates ne sont pas à la hauteur. Blair Hules, qui a fait fortune dans le black-jack et a investi près de 30 millions de dollars de sa poche dans cette campagne électorale, menait dans les sondages... jusqu'à ce que la presse découvre que son épouse (l'homme a été marié trois fois, dont deux fois avec la même femme) a pris des dispositions pour se protéger après que son mari l'a frappée. Hules s'effondre alors et laisse la voie libre à Obama.

En novembre, le candidat afro-américain, qui a reçu le soutien d'hommes politiques importants de Chicago, tels l'ancien sénateur Paul Simon et l'ancien maire Harold Washington, doit affronter le républicain Jack Ryan, ancien banquier et professeur. Mais, nouvelle surprise, ce dernier abandonne au cœur de l'été. La presse révèle qu'il fréquente des clubs échangistes avec sa femme, l'actrice Jeri Ryan, la forçant à se livrer à des activités sexuelles qu'elle désapprouverait. Vrai ou faux, aux États-Unis ce type de scandale scelle la fin d'une carrière politique. Voici donc Obama sans adversaire, à trois mois du scrutin ! Le parti républicain finit par parachuter un élu du Maryland, Alan Keyes. Un inconnu pour les électeurs de l'Illinois.

Obama fait la course en tête. Il est élu, le 7 novembre 2004, sénateur des États-Unis avec 70 % des voix. La chance a donc fini par tourner en sa faveur. Mais la « magie », et surtout le professionnalisme, de David Axelrod ont joué un grand rôle dans cette campagne, qui consacre Obama comme un vrai professionnel de la politique.

Sur les écrans de télévision américains, ce soir-là, George W. Bush triomphe de John Kerry. Et parmi les rares sénateurs sélectionnés à l'antenne par les grandes chaînes, on retrouve un certain Barack Obama. Sous les confettis et devant ses supporters en délire, il apparaît aux côtés de sa femme et de ses deux petites filles, tout sourire. À quarante-deux ans, il sera le cinquième Africain-Américain à siéger au Sénat fédéral, le troisième depuis la « Reconstruction[1] » et le troisième élu au suffrage populaire direct.

Une arrivée discrète

« Lorsque vous arrivez au Sénat, il n'y a personne pour vous aider. » Celui qui parle ainsi sait de quoi il parle. Wayne Allard est sénateur du Colorado. Républicain, il côtoie Barack Obama dans l'hémicycle, mais aussi « à la salle de sport du Sénat, tôt le matin. On s'entend bien, mais nous ne parlons pas souvent politique. Plutôt famille[2] ! »

Lorsqu'il prête serment en janvier 2005 et qu'il prend officiellement ses fonctions, Barack Obama devient ce qu'on appelle un « sénateur junior ». Devant sa famille, une main levée et l'autre posée sur la Bible tenue par le président du Sénat, qui est aussi le vice-Président des États-Unis selon la Constitution (en l'occurrence Dick Cheney), Obama apparaît ému. Mais dans cette vénérable institution, les privilèges sont attribués en fonction de l'ancienneté. Ainsi, sur les cent sénateurs, Obama est classé quatre-vingt-dix-neuvième par le protocole. Un homme comme Ted Kennedy est sénateur du Massachusetts depuis 1962. Il est par conséquent l'un des sénateurs les

---

1. Le terme de « Reconstruction » est utilisé par les historiens américains pour évoquer la période qui suit immédiatement la guerre de Sécession (1861-1865) et l'abolition de l'esclavage (1865).
2. Entretien téléphonique avec l'auteur, 7 mai 2008.

plus influents et respectés. Autrement dit, Barack Obama va devoir se montrer discret et apprendre le métier.

Contrairement à la Chambre des représentants, au sein de laquelle tout nouveau venu est aidé dans ses fonctions par les plus anciens, les nouveaux sénateurs sont livrés à eux-mêmes ; pas de présentation, pas d'équipe déjà en place. Leur rôle public est réduit aux votes, dans l'hémicycle prestigieux à l'épais tapis bleu sombre où trônent les bustes en marbre de tous les vice-présidents de l'histoire du pays. « Notre fonction est en réalité assez fastidieuse, confie Wayne Allard. En moyenne, nous passons trois jours à Washington, deux ou trois jours chez nous à sillonner l'État que nous représentons et un jour au total à voyager, en général les lundi et vendredi. »

Ces quelques jours par semaine sur Capitol Hill sont surtout consacrés au travail dans les sous-comités. « C'est au cours de ces réunions que nous travaillons sur les textes de loi à proprement parler. Nous tenons des audiences, nous interrogeons des spécialistes. Ensuite, le projet va en comité. » Par exemple, Wayne Allard siège aux comités du Budget, de la Banque et du Logement, ainsi, aux côtés de Barack Obama, qu'à ceux de la Santé, de l'Éducation, du Travail et des Retraites[1]. Le sénateur de l'Illinois siège également au comité des Affaires étrangères, des Anciens Combattants et de la Sécurité intérieure.

« Une fois le texte complété, il est discuté dans l'hémicycle, puis fait la navette entre le Sénat et la Chambre des représentants. Le Président peut ensuite signer la loi ou mettre son veto », poursuit Wayne Allard, qui a également été lui-même représentant plus tôt dans sa carrière. D'ailleurs, ce natif du Colorado d'origine française préfère la chambre haute. « Un sénateur a clairement plus de pouvoirs. Il représente un État entier, et non une simple circonscription. »

---

1. « Health, Education, Labor, Pension » (« HELP »).

Un bilan intéressant, mais maigre

Lors de sa première année au Sénat, en 2005, Barack Obama se montre discret. Sur les conseils de son entourage, il s'applique à faire la connaissance des sénateurs les plus importants du parti démocrate. Auprès d'eux, il bénéficie d'une image double, voire ambiguë. Certains des sénateurs voient en lui la « rock star », celui qui a connu une ascension fulgurante ; d'autres le trouvent sans expérience pour un tel niveau. Autrement dit, Obama est attendu au tournant. Il décide de se montrer travailleur et sérieux. Il doit prouver qu'il a de la « substance ». Le fait que le parti démocrate soit dans l'opposition, jusqu'au début 2007, favorise ce profil bas.

En 2005, malgré les sollicitations toujours plus nombreuses des médias, Obama refuse méthodiquement toute invitation, ce qui fait qu'on ne le voit guère à la télévision. Prudent, il l'est également dans la vénérable institution. Ainsi, il vote contre le retrait des troupes d'Irak, bien qu'il se soit opposé dès le début à cette guerre[1]. « Je crois qu'il est tout à fait possible de faire carrière au Sénat sans être particulièrement utile », lâche tout de même Barack Obama lorsqu'on l'interroge sur sa première année en tant que sénateur[2]. Déjà frustré ? Tom Daschle, sénateur du Dakota du Sud, confirme que ce n'est pas simple : « Plus vous passez d'années ici, plus vous vous faites d'ennemis – Hillary Clinton et John McCain en sont des exemples parfaits. Et ces ennemis ont de la mémoire. »

Obama décide pourtant de continuer à apprendre le métier. En 2005, il initie des rendez-vous en tête à tête avec près d'un tiers des sénateurs, parmi lesquels Ted Kennedy,

---

1. Voir chapitre 5. En revanche, il votera pour un retrait des troupes après son annonce de candidature à la Maison Blanche.
2. « Obama in the Senate : star power, minor rôle », *New York Times*, 9 mars 2008.

Hillary Clinton ou encore John McCain. Son équipe, et en particulier David Axelrod, insiste sur le « modèle Hillary Clinton » : très connue lors de son arrivée en 2001, elle s'est employée à tisser des liens avec ses administrés et a tenu le même profil bas. Obama ne cache d'ailleurs pas son admiration pour l'ancienne First Lady, mais n'aime pas trop que les journalistes insistent sur cette « exemplarité ». John Emerson confirme : « Hillary et Barack se connaissent bien et se respectent, mais ils n'entretiennent pas une relation proche[1]. »

Au Sénat, Obama profite de sa présence au comité des Affaires étrangères pour voyager. Il entretient de bonnes relations avec le président du comité, le républicain Richard Lugar. Ensemble, ils vont en Russie parler dissuasion nucléaire et désarmement. Il effectue également un déplacement remarqué en Afrique, notamment dans le pays de son père, le Kenya[2], pendant lequel il insiste sur la nécessité démocratique et la lutte contre le Sida et la malaria. Globalement, ses collègues trouvent le *junior senator* intelligent et travailleur.

Son bilan, toutefois, reste mince. Lors de l'été et l'automne 2006, le sénateur de l'Illinois sillonne le pays pour la promotion de son second livre et pour apporter son soutien aux candidats démocrates aux Midterms[3]. C'est du reste grâce à lui que les meetings sont souvent garnis. Puis, en février 2007, il entame son marathon vers la Maison Blanche. « Il y a peu de choses à dire sur son bilan, confirme Thomas Mann, observateur reconnu de la vie parlementaire et directeur d'études à la Brookings Institution, à Washington[4]. En seulement un peu moins de trois ans, il a

---

1. Entretien avec l'auteur, 18 décembre 2007.
2. Voir chapitre 10.
3. Élections législatives de mi-mandat (du Président), soit le renouvellement total de la Chambre des représentants, un tiers du Sénat et une vingtaine de gouverneurs d'États.
4. Correspondance électronique avec l'auteur, 21 avril 2008.

ANN DUNHAM,
née au Kansas, est étudiante
en anthropologie à l'université
d'Hawaii quand elle rencontre
Barack Obama Sr.
Elle l'épouse en 1960.

BARACK HUSSEIN OBAMA Sr,
Kenyan de culture musulmane,
est le premier étudiant africain de l'université
d'Honolulu, à Hawaii. Barack Jr a deux ans lorsque
ses parents divorcent. Son père mourra à la suite
d'un accident de la route en 1982.

De 1967 à 1971, **BARACK OBAMA** vit
à Djakarta, où sa mère s'est installée après avoir
épousé un Indonésien, Lolo Soetoro.
Elle y donne naissance à une petite fille, Maya,
la demi-sœur de Barack.

« Être noir, disait sa mère
au jeune Obama, c'est bénéficier
d'un grand héritage,
d'une destinée particulière
et des fardeaux glorieux
que nous seuls, les forts,
pouvons porter. »

À l'âge de 10 ans, Barack
retourne vivre à Honolulu
chez ses grands-parents maternels.

MICHELLE ROBINSON,
pur produit de *l'Affirmative Action*,
juriste à Chicago, a rencontré
Barack Obama au cabinet d'avocats
Sidley & Austin. Il l'épouse en 1992.

[d.r.]

[d.r.]

[d.r.]

Au fur et à mesure de la campagne des primaires,
les médias américains ont découvert une excellente
oratrice, dotée d'un solide tempérament.
Barack Obama a coutume de dire qu'il « consulte
régulièrement ses deux esprits supérieurs :
Dieu et Michelle ».

[d.r.]

Un couple charismatique
et ses deux fillettes,
MALIA ANN (née en 1998)
et **NATASHA** (née en 2001).

Toni Morrison, prix Nobel de littérature 1993, avait qualifié **BILL CLINTON** de « premier Président noir ». Un titre que son épouse, Hillary, n'aura pu décliner au féminin.

(d.r.)

John McCain, adversaire républicain d'Obama, a reproché à celui-ci de n'avoir pas rencontré le **DALAÏ-LAMA** lors de son voyage en Europe et en Orient, en juillet 2008. Une première rencontre avait toutefois eu lieu précédemment.

(d.r.)

La popularité d'**OPRAH WINFREY**, icône de la télévision, ne s'est jamais démentie. L'avoir à ses côtés est un atout de taille. « Martin Luther King a rêvé son rêve. Mais nous n'avons plus besoin de rêver désormais. Nous pouvons voter pour que ce rêve devienne réalité », déclare-t-elle en décembre 2007.

(d.r.)

KEEPING AMERICA'S PROMISE

KEEPING AMERICA'S PROMISE

KEEPING AMERICA'S PROMISE

OBAMA08

[d.r.]

[d.r.]

[d.r.]

[d.r.]

CHANGE
WE CAN BELIEVE IN
BarackObama.com

Au soir du 3 juin 2008, à la fin de l'interminable processus des primaires, Barack Obama peut enfin exulter : avec un total de 2 118 délégués acquis à sa cause, il sait qu'il sera le candidat démocrate à la Maison Blanche. « Ce soir, déclare-t-il, commence un périple qui donnera une direction nouvelle à l'Amérique. » Le couronnement

En route vers la Maison Blanche ?

passé la moitié de son temps à faire campagne pour la présidence. »

Toutefois, Thomas Mann formule plusieurs remarques. « Il a d'abord sélectionné une équipe très performante, puis il a fait ses devoirs consciencieusement. Ses votes sont ceux d'un démocrate classique, mais pas comme ceux des sénateurs les plus libéraux. Comme Hillary Clinton, il a cherché toutes les occasions pour travailler avec les républicains, y compris les plus conservateurs. Enfin, il a choisi le thème de l'éthique pour se faire remarquer en premier lieu. » En effet, Barack Obama a proposé avec le républicain Tom Coburn, élu de l'Oklahoma et réputé conservateur, de rendre publiques toutes les données de l'action du gouvernement après le cyclone Katrina, qui a ravagé une partie de la Louisiane et du Mississippi. Après cette catastrophe survenue en août 2005, Obama s'est montré l'un des porte-voix les plus offensifs du Sénat dans la lutte contre la pauvreté dans les États du Sud.

Le seul réel projet de loi à mettre à l'actif de Barack Obama concerne également l'éthique. « Son plus grand succès au Sénat est sans aucun doute sa réforme visant à plus de transparence, poursuit Thomas Mann. Ainsi, il a fait voter un texte qui oblige à rendre accessibles au public sur Internet tous les contrats et leurs financements passés par le gouvernement américain. » Cette initiative a eu lieu après la découverte de malversations dans certains contrats d'armement passés par le Pentagone (le ministère de la Défense) avec des gouvernements étrangers.

Premier face-à-face avec John McCain

En trois ans, « pas de réel échec » à noter, estime Thomas Mann. « Mais lorsque vous êtes un sénateur junior et qui plus est dans l'opposition, on n'attend pas grand-chose de vous », relativise-t-il. L'analyste insiste tout de même sur la capacité d'Obama à travailler avec les républicains : au

Sénat, il a prouvé qu'« il aime débattre, réfléchir et discuter des problèmes avec les républicains ». Avec l'un d'entre eux toutefois, le courant n'est pas passé. Il s'agit d'un certain John McCain, qu'il retrouvera sur sa route qui mène à la Maison Blanche[1].

Tout avait pourtant plutôt bien débuté. « Ils avaient commencé à collaborer », se souvient Thomas Mann. En effet, un an après son arrivée au Congrès, Barack Obama décide d'aller voir le sénateur de l'Arizona dans l'hémicycle. À soixante et onze ans, McCain est considéré comme un modéré. Ce héros de la guerre du Viêt-nam, qui avait été emprisonné et torturé par les Vietcongs, siège alors au Sénat depuis quatre mandats, soit vingt-cinq ans ! Au sein du parti républicain, il avait fait campagne contre George W. Bush en 2000 sur le thème du « *maverick*[2] ».

Obama voudrait travailler avec lui sur son projet de loi sur l'éthique. « Je l'aime bien, il a probablement un grand avenir devant lui », affirme alors McCain à son équipe[3]. Le vieux politicien invite alors Obama à participer à une réunion bipartisane, avec des sénateurs expérimentés. Nous sommes en février 2006. Si les démocrates présents estiment que la conférence s'est bien déroulée, plusieurs républicains estiment qu'Obama, qui fait un discours sur la corruption et la nécessité de réforme du code d'éthique, apparaît arrogant. « Il a parlé plus que cela n'était justifié », estime Trent Lott, un républicain.

Le malentendu intervient le jour suivant. Barack Obama, manifestement pressé, envoie une lettre au sénateur de l'Arizona... qu'il communique également aux médias. Dans cette missive, le jeune politicien se félicite que John McCain ait « exprimé un intérêt » à créer un groupe d'étude sur la

---

1. Depuis mars 2008 et sa victoire aux élections primaires, John McCain est le candidat républicain à la Maison Blanche.
2. Celui qui parle franchement, en dehors du système.
3. « Obama, McCain forget fleeting alliance », *Washington Post*, 31 mars 2008.

nécessité d'une réforme de l'éthique. Obama poursuit : « Le plus efficace et le plus rapide » serait de proposer une loi via les comités du Sénat.

L'entourage de McCain estime que le sénateur junior est ici allé trop loin, notamment en insinuant dans sa lettre que McCain, déjà candidat à la présidentielle, ne voulait pas d'une réforme rapide. « Il a fait quelque chose qui ne se fait pas », juge Mark Salter, alors directeur de cabinet du républicain. « Il vous envoie un communiqué de presse comme s'il était le leader », dit-il à son patron[1]. Il n'en faut pas plus pour qu'Obama soit perçu comme un jeune arrogant. Le vétéran ordonne donc que l'on prépare une lettre musclée en réponse, qui sera elle aussi rendue publique : *« Je voudrais m'excuser auprès de vous pour insinuer que vos assurances personnelles à mon égard étaient... sincères »*, écrit McCain. Obama répond en quelques heures, par écrit également. Pour lui, la lettre de McCain est « regrettable », car « vous avez maintenant mis en cause ma sincérité ».

Le projet de loi est tout de même préparé par divers sénateurs. Il vise à réformer le fonctionnement du Sénat, en particulier la mise à disposition par des firmes privées d'avions pour les déplacements des sénateurs qui n'ont, à cette fin, qu'à payer l'équivalent d'un billet de première classe sur une ligne commerciale. Le contexte politique est alors très sulfureux[2].

Deux jours après cette passe d'armes épistolaire, Obama et McCain apparaissent devant le comité sénatorial sur l'éthique. Barack Obama commence son intervention en saluant son « nouveau partenaire de plume », provoquant des éclats de rire dans l'assemblée. Finalement, le projet de loi est très édulcoré. Trop, aux yeux de ses deux initiateurs. Quatre-vingt-dix sénateurs votent « oui », huit « non »...

---

1. *Ibid.*
2. L'affaire Jack Abramoff a éclaté à Washington, du nom d'un lobbyiste républicain qui aurait corrompu plusieurs membres du parti et de l'administration Bush.

parmi lesquels McCain et Obama eux-mêmes ! Le projet sera finalement rejeté par la Chambre des représentants. Une fois les démocrates devenus majoritaires après les élections de novembre 2006, Barack Obama et Russell Feingold, sénateur démocrate du Wisconsin, proposent un nouveau projet de loi, plus étendu et plus strict. Cette fois-ci, la loi sera votée en 2007. Parmi les deux votes s'opposant à ce projet, on compte celui de John McCain. Publiquement, il estime que la nouvelle loi ne va pas assez loin. En privé, il n'a pas digéré l'affront.

La vie à Washington

D'une façon générale, Barack Obama n'aime pas tellement la vie dans la capitale fédérale. Michelle et lui ont ainsi décidé de conserver leur maison de Hyde Park, à Chicago, et de maintenir leurs filles dans leur école. En semaine, du mardi au vendredi, Obama loue un petit appartement, non loin de Capitol Hill. Son bureau est situé dans le Hart Building, sur la pente nord-est de la colline.

Obama a organisé son espace de travail de manière classique. Sur son long bureau de bois sombre, on remarque une photo de Michelle, Sasha et Malia. À sa gauche, la télévision est constamment branchée sur CNN. Derrière lui, le drapeau américain et le drapeau de l'Illinois sont éclairés par deux lampes à pied haut. Les bannières encadrent une console sombre, où est disposé l'ordinateur du sénateur.

Sur le mur derrière lui, deux cadres censés donner un message fort aux visiteurs sont mis en valeur : un portrait d'Abraham Lincoln, natif et élu de Springfield et Président républicain des États-Unis entre 1861 et 1865, père de l'abolition de l'esclavage et du maintien de l'Union pendant la guerre de Sécession ; et une photo en situation de Martin Luther King Jr, leader des droits civiques dans les années 1960, qui harangue la foule. Sur un autre mur trône un portrait de Mohammed Ali, sur un ring. Pour aller voter les lois et rejoindre le bâtiment du Congrès, le sénateur emprunte le métro réservé aux parlementaires.

En dépit de ce petit univers de travail qu'il s'est créé, Obama n'a pas l'air de se plaire à Washington. Il s'y ennuie. À quarante-trois ans, il est l'un des plus jeunes sénateurs. Ses collègues ont en moyenne soixante ans. Les différents employés sont également plus âgés. Et alors que la plupart d'entre eux ont un réseau, des amis, des connaissances, Obama demeure seul. Le soir, il assiste à quelques événements dans la capitale, ou va faire de la gym dans un club de Chinatown.

Parmi les actions dont il est le plus fier, nous pouvons noter la création du Hopefund, un comité d'action politique destiné à aider les candidats démocrates. En un an d'existence, 1,8 million de dollars a déjà pu être levé. Mais comme il l'admet parfois, la vie de sénateur manque d'action. Et Obama la recherche. C'est donc tout naturellement qu'il va la trouver, en briguant la plus haute fonction du pays.

7

Objectif Maison Blanche

Le Sénat, aussi prestigieux soit-il, semble ennuyer Barack Obama. Ses longues procédures, ses conflits larvés, ses débats politiques à fleurets mouchetés ont raison de la sagesse de cet homme dynamique de quarante-cinq ans. Deux années passées dans l'opposition et sous la coupe de sénateurs plus expérimentés lui suffisent. Discrètement, Obama ronge son frein et attend l'ouverture.

Une tournée façon rock star

L'élu de l'Illinois décide de passer à l'action au cours de l'été 2006. Il termine alors un nouveau livre, dont le titre lui a été soufflé par son pasteur, Jeremiah Wright : *The Audacity of Hope*[1]. Son autobiographie, parue en 1994, est devenue un best-seller, selon les classements du *New York Times*, après son discours à la Convention démocrate de 2004. Une notoriété dont le sénateur bénéficie désormais pour son deuxième essai. Il négocie un excellent contrat d'édition avec la maison Crown, qui lui permet d'éponger ses dettes et d'acheter sa maison de Hyde Park. Ainsi, un

---

1. *L'Audace d'espérer, op. cit.*

à-valoir sur ses droits d'auteur de 1,9 million de dollars lui est versé pour trois livres à venir[1].

Ce livre reprend le même ton personnel que le précédent. Mais il est infiniment plus politique. L'homme a mûri, s'est trouvé. Il est devenu sénateur des États-Unis. Et s'il parle toujours de ses relations avec sa femme et ses enfants, il consacre dans le même temps un chapitre à la politique étrangère et un autre sur le fonctionnement des institutions américaines. Sans être un texte de campagne, *L'Audace d'espérer* est sans contredit le manifeste d'un homme politique ambitieux.

Le livre paraît en octobre 2006, coïncidant avec la campagne électorale nationale des *midterms*. Comme tout auteur de best-seller, Obama effectue alors une tournée promotionnelle. Rien à voir avec quelques séances de dédicaces ici ou là. L'organisation ressemble plus à une tournée de rock star, sur un territoire immense. Intelligemment, Barack Obama va calquer cette tournée promotionnelle sur les meetings de ses camarades démocrates en campagne[2]. Ainsi, le matin, il effectue une séance de dédicaces, ou participe à une émission de radio ou de télévision locale, puis, durant l'après-midi, il monte à la tribune pour appeler à voter pour untel ou untel. Souvent, la journée se termine par une séance de levée de fonds chez un particulier. Obama multiplie ce schéma à chacune des étapes de sa tournée : Chicago, New York, Boston, Los Angeles, Austin, Miami...

Ce vendredi 27 octobre, Obama est à Los Angeles. Une ville qu'il a bien connue lorsqu'il était étudiant. Après sa séance de dédicaces au musée africain-américain de Californie[3], il se prépare à intervenir sur le campus de l'université de Californie du Sud. Le prestigieux établissement privé, réputé pour ses Troyens (ses équipes de basket et

---

1. Selon le *Washington Post* du 5 novembre 2006.
2. Obama, élu pour six ans en 2004, n'est pas personnellement concerné par ces élections.
3. Voir chapitre 1.

de football universitaires), est niché en plein Downtown, le centre historique et des affaires de la métropole.

Ses bâtiments de brique sont répartis de part et d'autre de ses deux principales pelouses. De vieux platanes apportent des zones d'ombre salutaires tandis que le soleil tape fort en ce début d'automne. Dans une allée étroite et déserte, le long du bâtiment de la bibliothèque principale, Barack Obama marche d'une foulée décontractée en devisant avec une amie. Quatre gardes du corps lui laissent néanmoins un espace important. Bras dessus, bras dessous, les deux amis semblent détendus. Au bout de l'allée, l'hôte attend son invité. Antonio Villaraigosa, maire latino de Los Angeles, tend une main ouverte à Barack Obama. L'accolade est rapide, mais chaleureuse. Puis ce petit monde s'engouffre dans l'immeuble.

Quatorze heures. Une star peut en cacher une autre. Dans la salle pleine à craquer du centre des étudiants, l'acteur Ben Affleck joue les bateleurs autour de la proposition 87, une loi censée lutter contre le réchauffement climatique, soumise au vote des Californiens le 7 novembre, en même temps que le renouvellement du poste de gouverneur et les législatives. Mais la vedette de cinéma s'efface pour laisser la place à la vraie star, le sénateur. « Sympa de voir Affleck, mais la star, c'était Obama », dit Alexandre, étudiant. En quelques minutes, l'affaire est réglée. Il s'agissait surtout d'apparaître devant les caméras, pour le journal télévisé du soir.

Un moment plus tard, devant la colonnade blanche qui orne la façade de la bibliothèque, ornée d'une immense bannière étoilée, « Mayor Villaraigosa » prend la parole, soutenant le candidat démocrate au poste de gouverneur de Californie. La tâche est rude : il s'agit de tenter de déboulonner Arnold Schwarzenegger, républicain modéré. Le tout mince Phil Angelides est un quasi-inconnu. Trésorier de l'État, ce père de famille cinquantenaire d'origine grecque a fait fortune dans l'immobilier du côté de Sacramento, la capitale, au Nord. Mais à cause de son cruel manque de charisme, personne ne l'écoute lorsqu'il prend la parole.

À sa décharge, il faut bien avouer que les étudiants présents en nombre – ils sont plusieurs milliers assis ou debout sur la pelouse – sont venus pour Obama. L'atmosphère a tourné au concert rock, au sens propre. Pas beaucoup de publicité, quelques affichettes seulement, agrafées sur des troncs d'arbres dans le campus, ont rameuté l'assistance. Du reste, personne ne connaît véritablement le thème de la réunion. Ils sont là par curiosité, pour voir Obama. Catherine Clark, étudiante en histoire, est passée par hasard : « Je venais rendre des livres à la bibliothèque quand une amie m'a dit que Barack était là. Alors, je reste. »

Bien loin de la scène, une poignée d'étudiants républicains se répartissent les pancartes pro-Schwarzenegger. L'ex-Terminator est en campagne pour sa réélection au poste de gouverneur. L'un d'entre eux est déguisé en super héros, Tax Man, vêtu d'une combinaison verte et d'une cape rouge, des billets sortant de ses poches. Tax Man, c'est Phil Angelides, l'adversaire démocrate du gouverneur sortant. « Les démocrates adorent augmenter les impôts », avait lâché Schwarzenegger lors du débat télévisé qui l'avait opposé à son challenger quelques semaines auparavant. Mais, aujourd'hui, ces jeunes militants républicains ne paradent pas.

La musique s'arrête enfin. Place à la politique. Le premier à parler est le président des démocrates de Californie. « Vraiment pas intéressant », « ennuyeux », lâchent Catherine et ses amis. L'homme tente de haranguer la foule, mais les réactions sont faibles. C'est au tour de Phil Angelides – Tax Man – de prendre la parole. Le démocrate endort l'assistance, malgré quelques « Go, Phil, Go ! » de supporters bien organisés. Pourtant, ce meeting est officiellement censé booster sa campagne... « Aucun charisme, juge Catherine, pourtant démocrate convaincue. Il ne donne vraiment pas envie de voter pour lui. Vivement Obama ! »

À son arrivée, au son du gospel de Jackie Wilson, « Your Love Keeps Lifting Me Higher » (« Ton amour me tire encore plus haut »), l'ambiance décolle. L'accolade que lui donne le maire est bien plus chaleureuse en public qu'elle ne l'était quelques minutes auparavant. Obama a tombé la veste. Il contraste avec tous les autres leaders encravatés. « Il fait si chaud ici, hurle-t-il d'entrée dans le micro, hilare. Je suis chaud ! J'aime Los Angeles ! C'est parfait pour parler un peu de politique ! » Le spectacle suit son cours. Les mêmes plaisanteries que lors du discours du matin sont servies avec le même entrain, en professionnel de la communication. « Au début de ma carrière, personne ne savait prononcer correctement mon nom, lance-t-il. Alabama… *Yo Mama !* » Rires. Il revient sur sa vocation. « Avant de me lancer dans ma première campagne électorale, j'ai demandé l'avis de deux puissances supérieures. Dieu et ma femme. » Plus sérieusement, il ajoute : « Avec le cynisme ambiant, la politique est devenue une profession et non plus une mission. L'essence d'un démocrate, c'est de rassembler, d'être ensemble et non plus de jouer solo. Je suis un démocrate sur la terre de Lincoln. Et croyez-moi, le sud de l'Illinois, c'est le Sud », ajoute-t-il, faisant référence aux graves émeutes raciales de Cairo, à la fin des années 1960.

Obama déroule ses thèmes de prédilection. Le discours est bien rodé. Les prémices de la campagne présidentielle ? Le désastre de la guerre en Irak, l'incapacité du Président Bush à gouverner intelligemment et, insistant encore plus, l'éducation. « Il s'inscrit clairement dans la lignée du mouvement des droits civiques et des grands leaders noirs, juge Catherine. Je pense que c'est adroit, stratégiquement parlant. C'est efficace, et pourtant je suis une cynique ! »

Officiellement, la journée publique du sénateur démocrate est terminée. Mais quelques rares privilégiés se sont donné rendez-vous à 19 heures à Encino, banlieue cossue cachée derrière les collines de Hollywood. Ce soir-là, c'est John Emerson qui invite. Figure incontournable, mais discrète, du parti démocrate[1], il a envoyé quelques invitations

---

1. Voir chapitres 6 et 9.

par mail. Avocats, businessmen, producteurs triés sur le volet se retrouvent ainsi dans la grande villa. « Et croyez-moi, il faut une bonne raison pour faire déplacer autant de personnes importantes en dehors du centre-ville », plaisante à moitié Lucie Bava, la cinquantaine éclatante, « excitée » d'être là.

Parmi les trois cents personnes massées dans le jardin, Lucie glisse un petit mot d'encouragement au sénateur : « Je vous souhaite plein de bonnes choses », lui lance-t-elle alors qu'il s'approche du premier rang et embrasse les joues qu'on lui tend. Obama sourit, ne paraît pas fatigué de sa journée. Il prend encore une fois la parole pendant une quinzaine de minutes, mettant l'accent sur son livre. « Finalement, ce qu'il dit est assez superficiel, juge Lucie. Il parle comme dans un talk-show télévisé. Mais cet homme a de l'inspiration. Le fait de vouloir mettre le paquet sur l'éducation parce que c'est le seul espoir est intéressant. » 20 h 30, la « rock star » s'engouffre dans sa voiture. Un jet privé l'attend. Le lendemain, il sera à Austin, au Texas, pour le même show.

Michelle et Axelrod dans la confidence

L'histoire le révélera, mais il est difficile de savoir à quel moment le sénateur Barack Obama a réellement décidé, en son for intérieur, de se porter candidat à la présidence de la République. Officiellement, le parlementaire affirme que c'est au retour de sa tournée promotionnelle, autour de Noël 2006. Il dit qu'il s'est assis avec sa femme sur le canapé du salon pour en évoquer l'éventualité avec elle. David Axelrod, son principal conseiller stratégique, est lui aussi dans la confidence.

Version plus probable : Obama avait une idée derrière la tête en écrivant son manifeste et en faisant campagne pour ses collègues. Une stratégie quelque peu préméditée, « au cas où ». Et le « cas » est arrivé : le contact avec les électeurs est excellent, et la presse répond favorablement. L'influent *Time Magazine* n'a-t-il pas fait sa couverture, fin octobre, en titrant « Pourquoi Barack Obama pourrait être le prochain Président » ? Le sénateur lui-même n'a-t-il pas déclaré, le 22 octobre, au cours d'une émission politique de la chaîne d'information MSNBC qu'« être candidat en 2008, c'est une possibilité. Après les élections du Midterm, je vais m'asseoir et réfléchir » ?

Pourquoi maintenant ? La plupart des démocrates (les dirigeants comme les électeurs) pensent que le tour d'Hillary Clinton est venu. L'ancienne Première Dame s'y prépare depuis longtemps et bénéficie de l'impressionnant réseau de donateurs et de soutiens de son ex-Président de mari. De plus, son niveau de notoriété demeure bien plus élevé que celui d'Obama. Mais ce dernier a une réponse toute faite, une citation de Martin Luther King Jr : « *The fierce urgency of now*[1]. » L'urgence. Obama répète que l'état dans lequel est plongé son pays est grave : guerre en Irak, déficit public record, etc. Et il pense qu'il est l'homme de la situation. Pourquoi attendre, insinue-t-il ? Pourquoi serait-ce le tour de Clinton et non le sien ? Trop jeune, inexpérimenté, disent ses détracteurs. Mais de tels arguments se révèlent fort insuffisants pour décourager une bête politique, convaincue que son moment est venu.

Dans l'histoire de la jeune nation américaine, seuls quinze sénateurs sont devenus Présidents (sur quarante-trois au total) : les fameux James Monroe, John Quincy Adams et Andrew Jackson ; les oubliés Martin Van Buren, William Harrison, John Tyler, Franklin Pierce, James Buchanan, Andrew Johnson et Benjamin Harrison ; et, plus proches de nous, Warren Harding, Harry Truman, John Kennedy, Lyndon Johnson et Richard Nixon. Ce dernier a été élu en 1968. Depuis quarante ans, donc, aucun Président n'est passé par la Chambre haute.

---

1. « L'urgence pressante du moment présent. »

Certains y voient une malédiction. Pour parler plus sérieusement, plusieurs politologues estiment qu'une expérience de gouverneur, lui aussi chef de l'exécutif à l'échelle d'un État, prépare mieux à la fonction présidentielle. Ainsi, les deux derniers Présidents américains ont été des gouverneurs : Bill Clinton, du petit État du sud de l'Arkansas, et George W. Bush, du puissant Texas. Avant eux, Ronald Reagan avait dirigé la Californie, État le plus peuplé et le plus riche d'Amérique. Mais, selon Wayne Allard, élu du Colorado[1], le Sénat prépare tout aussi bien à la Maison Blanche : « Il est évident que le Sénat est un excellent endroit pour apprendre et observer la vie de Washington. Connaître les arcanes du système législatif est primordial » pour briguer la présidence, assure-t-il. Sans parler du réseau, des contacts et des facilités dont on dispose lorsque l'on siège dans la plus influente des chambres[2].

Le facteur inexpérience se retrouve donc vite balayé par l'entourage du nouveau candidat. En outre, ni Clinton ni Bush n'avaient d'expérience ou de profondes connaissances en politique étrangère, par exemple, avant de devenir les 42e et 43e Présidents. Quant à Kennedy, il était plus jeune encore lorsqu'il est entré à la Maison Blanche, à l'âge de quarante-quatre ans...

Le rendez-vous de Springfield

Samedi 10 février 2007. Springfield, capitale de l'État de l'Illinois, n'avait pas vu cela depuis longtemps. Nous ne parlons pas des dizaines de centimètres de neige ni du froid polaire (quelque – 20 °C) qui se sont abattus sur ces plaines proches du Mississippi. Cela, les 115 000 habitants de la capitale en ont l'habitude. En revanche, l'arrivée de plusieurs milliers de personnes, en cette saison, décontenance plus

---

1. Voir chapitre 6.
2. Entretien téléphonique avec l'auteur, 7 mai 2008.

d'un autochtone. Missouri, Indiana, Wisconsin, Iowa, Ohio : presque tout le Midwest s'est donné rendez-vous ici. Les hôtels et motels de la région affichent tous complet. Motif de ce rassemblement : un certain Obama.

Le sénateur de l'Illinois a choisi la capitale de son État pour annoncer sa candidature. Plus précisément, c'est devant le bâtiment du vieux Capitole que le podium a été installé. Ainsi, il pourra s'adresser à la foule massée sur l'esplanade arborée, devant l'immeuble de briques rouges. Le lieu n'a pas été choisi au hasard ; il est même au contraire hautement symbolique, tant historiquement que politiquement. C'est en effet ici qu'un certain Abraham Lincoln a travaillé. Natif de Springfield, il avait siégé dans ce Parlement avant de connaître un destin national. Ainsi, Barack Obama se place directement dans les pas du grand Lincoln. Le message politique se veut fort : « Abe » est le Président qui a maintenu les États-Unis pendant la terrible guerre de Sécession[1] et qui a fini par abolir l'esclavage. Fondateur du parti républicain moderne, Lincoln fait surtout figure de rassembleur et de force dans l'adversité. Son assassinat par un sudiste extrémiste, dans un théâtre de Washington en 1865, donne une dimension de « sacrifice » à son action.

Un démocrate qui se place dans l'ombre d'un républicain ? Ce n'est finalement pas si étonnant que cela, de la part d'un jeune politique qui clame souvent aimer travailler avec ses opposants. Ce sera donc essentiellement autour de cette capacité à rassembler que le message de sa campagne sera centré. Obama aime dire que ce qui rassemble les Américains est plus fort que ce qui les divise, qu'« il n'y a pas d'États républicains et d'États démocrates, mais [qu'il y a] les États-Unis d'Amérique[2]. »

Ce matin-là, Obama est vêtu d'un long manteau noir. Ses mains sont gantées. Lorsqu'il monte sur la scène, la

---

1. Appelée Civil War (Guerre civile) aux États-Unis. Elle a fait 600 000 morts entre 1861 et 1865.
2. Une formule qui revient dans plusieurs de ses discours.

foule hurle son plaisir. Une bonne façon de se réchauffer, aussi. D'ailleurs, Obama a tout de suite un mot pour ceux qui sont venus de loin : « Merci à tout ceux d'entre vous qui ont fait le déplacement et qui bravent le froid aujourd'hui ! » La buée sort de sa bouche. Les caméras de télévision filment. Le discours est retransmis en direct sur les chaînes câblées d'information (CNN, Fox News et MSNBC).

Dès ses premiers mots, le message passe. « Nous avons tous fait ce voyage pour une raison. Modestement, je sais dans mon cœur que vous n'êtes pas venus ici seulement pour moi. Vous êtes venus ici parce que vous croyez en ce que peut être ce pays. À l'heure de la guerre, vous croyez qu'il peut y avoir la paix. Face au désespoir, vous croyez qu'il peut y avoir de l'espoir. Face à la politique qui vous a déçus, qui vous a dit de demeurer immobiles, qui nous a divisés depuis trop longtemps, vous croyez que nous pouvons être un peuple qui tente d'achever ce qu'il y a de possible, en construisant cette union qui peut être perfectionnée. »

Après avoir rappelé qu'« un avocat de Springfield [Lincoln] nous dit qu'un avenir différent est possible », Obama annonce sa candidature : « C'est pourquoi je suis dans cette course. Pas simplement pour occuper une fonction, mais pour vous rassembler et ensemble transformer une nation. Je veux gagner cette prochaine bataille, au nom de la justice et de l'opportunité. Je veux gagner cette prochaine bataille, pour de meilleures écoles, de meilleurs emplois et une couverture de santé pour tous. Je veux que nous nous employions à parfaire notre union et à construire une Amérique meilleure. Et si vous me rejoignez dans cette quête improbable, si vous sentez l'appel du destin, si vous voyez comme moi un avenir avec des possibilités sans fin, si vous sentez, comme moi, que le temps est venu de nous réveiller, de transformer notre peur et de rendre compte aux générations passées et futures, alors je suis prêt à marcher et travailler avec vous. Ensemble, à partir d'aujourd'hui, nous finirons le travail pour entrer dans une nouvelle ère de liberté sur cette Terre. »

Après vingt minutes de discours enflammé, à la manière d'un pasteur noir, Obama salue la foule. Sa femme Michelle le rejoint. Le couple serre des mains, embrasse des connaissances, puis s'éclipse. Les télévisions, toutefois, ne rendent pas tout de suite l'antenne. Une batterie d'analystes politiques se prononce. La prestation du sénateur a été jugée « forte », « puissante », « inspirée ». Mais tous rappellent que peu de monde connaît Barack Obama. En ce 10 février 2007, soit près de deux ans avant l'entrée en fonction du prochain Président[1], Hillary Clinton demeure la grande favorite au sein du parti démocrate. D'ailleurs, alors qu'elle n'a pas encore officiellement déclaré sa candidature, le discours d'Obama va la forcer à accélérer ses plans. De son côté, voici le sénateur de l'Illinois dans la course. Mais il sait pertinemment que celle-ci va être longue, très longue. La plus longue de l'histoire des États-Unis.

Une équipe hétéroclite

Gagner la Présidence. Forcer la porte de la Maison Blanche. S'installer dans le bureau ovale. Que l'on soit un candidat célèbre et riche ou inconnu et sans le sou, il existe une règle incontournable à respecter si l'on veut avoir une petite chance : s'entourer d'une véritable équipe commando et expérimentée.

Celle de Barack Obama est à coup sûr hétéroclite. Soudé par le message et la personnalité d'Obama, son entourage ne ressemble pas à une cour. Si chacun a un rôle bien défini, presque tout le monde a son mot à dire. De surcroît, cette équipe de campagne n'est pas constituée de cette façon classique qui veut que les ordres viennent d'en haut et soient appliqués sans discussion par la base. Cette équipe se veut novatrice.

---

1. Le Président et le vice-Président seront élus le 4 novembre. Mais ils n'entreront en fonction que le 20 janvier 2009 à midi.

Et, dans ce domaine également, Obama a voulu innover. La conquête de Washington se fera différemment[1]. « Nous sommes à la fois collègues et amis. C'est une équipe unie, pas un agrégat d'individus[2] », glisse Robert Gibbs, directeur de la communication du candidat. Ainsi, autour de David Axelrod, est venue se greffer une partie de l'ancienne équipe de John Kerry de 2004. Gibbs était déjà le principal responsable de la communication du sénateur du Massachusetts. Mais il l'avait quitté... juste avant que celui-ci n'emportât la décision au cours des primaires de 2004 ! Il avait alors rejoint Obama dans la foulée, avant d'en devenir un ami proche. Ce blond de trente-six ans, un peu rond, accompagne le candidat dans tous ses déplacements. Il gère les petits malheurs des journalistes tout en pianotant constamment sur son Blackberry. La cellule communication est renforcée par la présence de plusieurs porte-parole, pour la plupart également trentenaires : Bill Burton (un ancien de l'équipe Kerry), Tommy Vietor, Jen Psaki... Tous relaient le message du candidat auprès des dizaines de reporters accrédités pour ses déplacements.

La campagne est savamment orchestrée par David Plouffe, jeune quadragénaire, par ailleurs partenaire de David Axelrod au sein de leur société AKP Media, basée à Chicago. Rien ne lui échappe. Il met en musique la stratégie conçue par Axelrod. Tout passe par lui, de la recherche de financements aux déplacements du candidat.

Le deuxième cercle est constitué de quelque cent cinquante à deux cents conseillers politiques, économistes, juristes, spécialistes des questions internationales et militaires. Chaque domaine a un « chef », qui recueille les notes des uns et des autres. Ces derniers ont généralement un accès direct à Obama ou Axelrod. Au cœur de cette équipe, Valerie Jarrett occupe une fonction privilégiée.

---

1. Voir le dossier « The O team », *Newsweek*, 19 mai 2008.
2. « La "Team Obama" prête à affronter McCain », *Le Figaro*, 12 juin 2008.

Cette proche du couple Obama, surtout depuis qu'elle a recruté Michelle au cabinet du maire de Chicago, est certes une conseillère bénévole de la campagne, mais elle se situe au centre du jeu. Bénéficiant d'un accès sans restriction au sénateur, elle intervient sur tous les thèmes, sans exception.

Parmi les autres personnalités incontournables de l'équipe de campagne, Austan Golsbee se distingue en tant que chef de la cellule économie. Professeur à l'université de Chicago, il est un ami personnel de Barack Obama. À trente-huit ans, il élabore le programme économique du candidat, non sans heurts au début de la campagne[1]. Le candidat a également puisé dans le formidable réservoir de la prestigieuse institution universitaire, où il s'est fait de nombreux amis lorsqu'il y enseignait[2], pour s'attacher les services de Cass Sunstein. Ce dernier, juriste spécialiste du droit constitutionnel, un peu timide, mais très accessible, ne tarit pas d'éloges sur son ami : « Il est vraiment resté le même depuis que je le connais », insiste-t-il[3]. Son rôle consiste avant tout à décrypter les arrêts de la Cour Suprême, à interpréter le rôle du Président dans telle ou telle situation face au Congrès, etc.

L'équipe la plus importante est sans aucun doute celle chargée des relations internationales, un sujet plutôt lointain pour le sénateur ; bien qu'il siège au comité des relations extérieures, Obama ne dispose en effet pas d'une grande expérience en la matière. Il s'est donc attiré les services de Susan Rice, quarante-huit ans, ancienne de l'équipe Clinton au Département d'État[4] et spécialiste des questions africaines. À ses côtés, Gregory Craig, ex-conseiller de Madeleine Albright[5].

---

1. Voir chapitre 8 et le renvoi d'un membre de son équipe après une déclaration malheureuse sur l'accord de libre-échange nord-américain.
2. Voir chapitre 4.
3. Conversation avec l'auteur, 3 janvier 2008.
4. Le ministère des Affaires étrangères.
5. Secrétaire d'État sous le second mandat de Bill Clinton (1997-2001).

Les questions de sécurité intérieure échoient pour leur part à Anthony Lake, un ancien de l'administration Clinton lui aussi, qui s'est rangé aux côtés d'Obama dès le début. Toutes ces personnalités ont de grandes chances d'être membres du cabinet[1] d'une éventuelle administration Obama.

Au-delà des conseillers thématiques et des organisateurs de campagne, d'autres personnes jouent un rôle clé au 233 North Michigan Avenue, le QG de campagne à Chicago. Ainsi de Jon Favreau, qui dirige l'équipe de rédacteurs des discours d'Obama. À peine âgé de vingt-sept ans, il avait par ailleurs déjà travaillé pour John Kerry en 2004. Bien qu'Obama écrive lui-même ses interventions les plus importantes, Favreau se révèle une excellente plume. Penny Pritzker est chargée, quant à elle, d'organiser le financement de la campagne. Enfin, Internet est chapeauté par un « gamin » de vingt-trois ans, Chris Hughes, cofondateur de Facebook.

La révolution Internet

« C'est la première véritable campagne électorale où Internet joue un rôle essentiel. » Ainsi s'exprime Lynn Vavreck, spécialiste des campagnes présidentielles et professeur de sciences politiques à l'université de Californie à Los Angeles. Howard Dean, candidat malheureux aux élections primaires de 2004 et aujourd'hui président du parti démocrate, avait déjà misé sur la Toile pour fédérer ses soutiens. Surtout, il a financé une grande part de sa campagne par les dons de petits contributeurs, via son site Internet. Mais ce qu'avait simplement commencé Dean, Obama le reproduit à une échelle et une vitesse démultipliées.

---

1. Le gouvernement américain est désigné par ce terme.

Tout a commencé très tôt. Le site officiel de la campagne est lancé dès l'annonce de sa candidature[1]. D'un bleu attrayant, doté d'un logo efficace (un soleil levant aux couleurs du drapeau américain, censé symboliser l'espoir, maître mot de la campagne), il est d'utilisation très facile, même pour les non-initiés. Surtout, il est très aisé de s'enregistrer comme « supporter » et d'y faire un don en ligne. Cinq dollars ou mille, il suffit de saisir son numéro de carte bancaire.

Il est également possible de former des groupes virtuels, État par État, comté par comté, quartier par quartier. Toutes les initiatives locales y sont répertoriées, mises en ligne par les organisateurs-citoyens eux-mêmes : *pyjama party* du samedi soir pour récolter des fonds, marche des femmes le dimanche après-midi, manifestation antirépublicaine dans un meeting de John McCain : il suffit de taper son code postal pour trouver un « événement Obama » près de chez soi ! Rien de plus simple...

Au-delà du site Internet officiel, Chris Hughes et son équipe interactive, essentiellement constituée de jeunes d'une vingtaine d'années, ont utilisé toutes les plateformes disponibles pour faire parler de leur candidat : YouTube, MySpace, Facebook, qui proposent désormais des « groupes » Obama... Un moyen pour les citoyens de communiquer entre eux et d'atterrir, tôt ou tard, sur le site officiel. Dans l'espoir de voir un don collecté. L'équipe a même créé son propre outil de réseau social, My BO.

Au total, la campagne a recensé près d'un demi-million de membres et environ huit mille groupes affiliés, d'une manière ou d'une autre, tels que les Texas Business Women for Obama (Les « Femmes d'affaires texanes pro-Obama ») ou les Soul Music Lovers for Obama (Les « Amateurs de musique soul pro-Obama ») ! « Ces outils en ligne sont d'utilité publique », explique Joe Rospars, codirecteur

---

1. www.barackobama.com

du multimédia au sein de la campagne[1] et ancien de l'équipe d'Howard Dean. Mais le but du jeu est bien de traduire hors Internet les mouvements de soutien en ligne.

De l'organisation communautaire aux mouvements « grassroots »

« N'oubliez pas : Barack Obama a été organisateur de communautés. Il a voulu que sa campagne soit organisée exactement de la même façon que lorsqu'il travaillait dans les rues de Chicago : établir une large base sur le terrain, impliquer les gens, et faire remonter au sommet. » Le jugement vient d'un expert, Jerry Kellman, l'homme qui avait autrefois recruté le jeune Obama pour travailler dans les quartiers difficiles du sud de Chicago[2]. David Axelrod confirme : « Quand nous avons débuté cette campagne, Barack nous a dit qu'il souhaitait trouver un moyen d'impliquer les gens et leur donner une responsabilité dans notre organisation. Il est le même type qui a été organisateur de communautés à Chicago il y a vingt-trois ans. C'est l'idée que nous pouvons nous organiser ensemble et améliorer notre pays. Et il croit vraiment en cela[3]. »

Ainsi, la méthode révolutionne les campagnes électorales classiques. « Pouvions-nous faire fonctionner cela *offline*[4] ? On a dit à nos supporters : "On vous adore, mais nous avons besoin que vous fassiez cela aussi dans votre voisinage". » Steve Hildebrand, directeur adjoint de la campagne, est clair. Internet est un outil formidable, mais la mobilisation doit aller au-delà et se concrétiser sur le terrain, au niveau « *grassroots*[5] ».

---

1. « The Machinery of Hope », *Rolling Stone*, 20 mars 2008.
2. Entretien avec l'auteur, 10 mars 2008. Voir chapitre 3.
3. « The Machinery of Hope », art. cit.
4. Hors réseau.
5. Littéralement : « aux racines de l'herbe ». C'est-à-dire à la base, sur le terrain.

Damon Terrill est bien placé pour en parler. Cet avocat de trente-huit ans, spécialiste de droit international et ancien juriste au Département d'État, est l'une des chevilles ouvrières de cette mobilisation à la base. Après quinze années passées à New York, Bruxelles, Berlin et Washington, il est retourné dans son Iowa natal. « Pour mon travail, mais aussi parce que je voulais militer pour le parti démocrate, bénévolement. L'Iowa, en plus d'être le premier à voter dans le processus des primaires, est aussi un État violet. » C'est-à-dire moitié bleu (la couleur des démocrates) et moitié rouge (celle des républicains). En d'autres termes, l'Iowa fait partie de ces quelques « États pivots » qui basculeront d'un côté ou de l'autre et attribueront ainsi la présidence à l'un ou l'autre des deux partis.

Damon est l'un des tout premiers. Coordonnant l'action d'une équipe de bénévoles, il a patiemment construit tout l'appareil de campagne, dès l'annonce de la candidature de Barack Obama en février 2007. « Je suis à Iowa City, là où se trouve l'université de l'État. Nous avons récupéré dans un dépôt tous les meubles, quelques ordinateurs, bref, tout le nécessaire pour fournir un premier bureau. Et ce, pour un prix modique[1]. » L'équipe est peu à peu constituée. Pendant toute la durée de la campagne, jusqu'aux caucus du 3 janvier, Damon Terrill rend compte quotidiennement aux responsables de la campagne, basés dans la capitale Des Moines, de ce qui se passe dans son secteur. « Chaque soir au téléphone, nous faisons le point sur ce qui marche et ce qui ne marche pas, explique-t-il. C'est vraiment une campagne qui va de la base au sommet et non l'inverse. »

Au total, pendant la période des primaires, Damon Terrill a passé plusieurs milliers d'heures à faire du porte-à-porte, à appeler les gens à leur domicile, les encourageant à s'inscrire sur les listes électorales et à voter Obama. Un incroyable travail de fourmi. « Entre Noël et le Jour de l'An, nous avons dû changer tous les stylos en crayons à papier,

---

1. Entretien téléphonique avec l'auteur, 28 juin 2008.

car l'encre gelait. » Température moyenne dans l'Iowa :
– 20 °C. « Ce n'est pas du dévouement, cela ? », conclut
Damon.

Le phénomène « jeune »

Les jeunes, c'est-à-dire les 18-29 ans, sont à la pointe de
cette mobilisation sur et en dehors du Net. Alors que la
catégorie d'âge supérieure a peu entendu parler de Barack
Obama et soutient Hillary Clinton ou John Edwards, les
étudiants soutiennent massivement le sénateur de l'Illinois.
Dès janvier-février 2008, c'est-à-dire au tout début du processus des élections primaires, le mouvement jeune est
clairement identifiable, en ligne comme dans les meetings
du candidat.

Obama semble être un candidat dont la personnalité et
le message résonnent chez les jeunes. « Le jeune électeur
d'aujourd'hui est arrivé en âge politique dans l'ombre du
11 Septembre, des mensonges et de la politique empoison-
née de l'administration Bush, analyse Cora Currier, elle-
même jeune démocrate et étudiante à Harvard[1]. Selon les
études d'opinion, les jeunes sont moins intéressés que leurs
aînés par les questions du mariage gay ou de l'avortement
– peut-être parce que la guerre, le réchauffement climatique et l'économie plombée apparaissent comme des
menaces plus sérieuses. »

Mais alors pourquoi Obama plutôt que Clinton, Edwards
ou même un républicain ? Currier poursuit, en citant un étudiant en histoire de l'université de Yale, Nicholas Handler,
vainqueur d'un concours de rédaction, et publié dans le *New
York Times Magazine*[2] : « Nous sommes une génération post-
tout : post-guerre froide, post-industrielle, post-baby-boom,

---

1. « Obama's Youth Movement », *The Nation*, 15 février 2008. Blog de
Cora Currier : www.harvarddems.com/blog/176
2. http://essay.blogs.nytimes.com/2007/09/27/the-college-pastiche/

post-11 Septembre. » Et pour Currier, Barack Obama est « lui-même un collage de "post" ». Par ailleurs, 40 % des jeunes se disent fatigués des deux grands partis et préfèrent se déclarer « indépendants ». Obama, qui se pose en rassembleur, plaît donc. Selon une étude de l'université de Harvard, 70 % des 18-24 ans préféreraient voter Obama, tandis que les 30 % restants apportent leur soutien à Hillary Clinton. Des chiffres éloquents, en pleine campagne des primaires[1].

Dans les quatre premiers États à voter avant le Super Tuesday du 5 février – l'Iowa, le New Hampshire, le Nevada et la Caroline du Sud –, les jeunes du camp Obama se mobilisent bien avant l'heure. Ce sont eux que l'on voit distribuer les tracts, enrôler les électeurs sur les listes, dans le froid des grandes plaines et de la Nouvelle-Angleterre, dans les zones rurales à l'écart de Las Vegas ou sur le littoral des Caroline.

Le mouvement est indéniable. L'équipe Obama peut s'appuyer sur ces bonnes volontés. Mais deux questions demeurent : ces jeunes seront-ils présents le jour J pour organiser les caucus[2] après de longues semaines de bénévolat ? Et, surtout, peuvent-ils contribuer financièrement à la campagne ?

Une véritable « cash machine »

Rien qu'à en juger sur les quatre dernières campagnes présidentielles, le constat est frappant : il coûte de plus en plus cher d'être candidat à la Maison Blanche, et mieux vaut disposer d'un important trésor de guerre pour avoir une chance de l'emporter. En 1996, les dépenses de Bill Clinton (Président sortant) et de Bob Dole (le candidat républicain) ont plafonné autour de 50 millions de dollars chacun, primaires et élection générale cumulées. Quatre

---

1. 25 avril 2008.
2. Voir chapitre 8.

ans plus tard, ces chiffres doublent pour le GOP[1], mais demeurent relativement stables côté démocrate. Ainsi, George W. Bush a dépensé plus de 100 millions de dollars, alors qu'Al Gore se « contentait » de 60. L'explosion a véritablement lieu en 2004, année où le démocrate John Kerry a quasiment rivalisé avec la machine républicaine, investissant 245 millions contre 280 millions[2].

Principales raisons de cette inflation : les coûts exorbitants de diffusion des spots télévisés, les voyages incessants en avion dans un pays de 9,3 millions de km[2], le salaire d'experts gourmands, des études d'opinion de plus en plus pointues. « Depuis la campagne de 1996 entre Bill Clinton et Bob Dole, aucun candidat n'a pu financer de diffusion nationale de ses spots. Depuis cette époque, les candidats ciblent les États qui pourraient faire basculer l'élection », explique Lynn Vavreck, professeur de sciences politiques à l'université de Californie Los Angeles[3]. Mais, à l'automne, s'il lève autant de fonds qu'on le dit, Barack Obama pourrait avoir le loisir de dépenser son trésor de guerre comme il l'entend. Soit en inondant les écrans des quelques États clés, soit, les derniers jours, en lançant un spot de campagne sur tout le territoire. »

Les chiffres parlent en effet d'eux-mêmes : au début de l'été, la campagne de Barack Obama avait déjà recueilli plus de 280 millions de dollars donnés par un million et demi de personnes. Et ce, uniquement pour la période des primaires, de janvier à juin 2008. Du jamais vu dans l'histoire des campagnes présidentielles américaines et, par extension, des grandes démocraties occidentales. Selon les spécialistes, Barack Obama serait en mesure de récolter, jusqu'au 4 novembre, un demi-milliard de dollars, voire plus ! Comment un sénateur presque inconnu deux ans

---

1. « Grand Old Party », surnom du parti républicain.
2. Source : Federal Election Commission. www.fec.gov
3. Entretien avec l'auteur, 23 juin 2008.

avant sa candidature a-t-il pu se transformer en une telle « machine à cash » ?

Le jeune politicien s'est rodé à Chicago[1]. « Les premiers 250 000 dollars que j'ai levés, c'était comme me faire arracher une dent, révèle Obama[2]. Aucun donneur affilié au parti démocrate ne me connaissait, puis cela a fini par faire "tilt" dans la conscience publique », analyse-t-il. Pour « Barack Obama for America », il a fallu affronter la « machine Clinton ». Bill étant l'un des plus talentueux rabatteurs de sa femme, cette dernière bénéficiait d'appuis financiers extraordinaires. Il est vrai que le carnet d'adresses d'une ancienne avocate d'affaires couplé à celui d'un ancien Président des États-Unis donne une certaine aisance en la matière !

L'équipe d'Obama, quant à elle, partait presque de zéro. Aux États-Unis, il existe un plafond maximal pour donner de l'argent à un candidat, fixé à 2 300 dollars. Ainsi, le sénateur de l'Illinois multiplie-t-il les dîners VIP dès l'hiver 2007. Les centres les plus désirés sont évidemment les pôles de richesse : New York est très prisée pour la diversité de son économie et la présence de nombreux millionnaires ; la Floride également, où vivent beaucoup de riches New-Yorkais retraités ; la Californie, ensuite, plus particulièrement la Silicon Valley, cœur des nouvelles technologies, ainsi que Hollywood et ses très riches producteurs ; le Texas, enfin, boosté par son économie pétrolière, ses hommes d'affaires, ainsi que les nouvelles technologies. Pour Obama, Chicago, troisième ville du pays et centre de ses réseaux, est méticuleusement ratissée, mois après mois.

Il existe toutefois une autre possibilité pour les candidats : le financement public de la campagne. Au moins en partie. Depuis le scandale du Watergate en 1974, la loi fédérale met à disposition des deux candidats une somme

---

1. Voir chapitre 5.
2. « Barack Obama Inc. The birth of a Washington Machine », *Harper's*, novembre 2006.

de 85 millions de dollars pour la campagne générale, si ces derniers renoncent à d'autres contributions. Une telle règle existe également pour les élections primaires et, pour la première fois dans l'Histoire, le candidat George W. Bush avait fait l'impasse, en 2000, sur le financement public. Cette année, Obama est le premier à refuser cette « dot » pour la campagne automnale. Il espère ainsi recueillir au moins trois ou quatre fois plus par le simple biais des donations privées. Si les petits donateurs représentent environ 85 % du total des fonds de la campagne, Obama ne néglige pas les quelque trois cents personnes qui ont rassemblé plus de 200 000 dollars pour lui.

Dans ce contexte, une question importante se pose : celle des lobbyistes. Tout au long de la campagne des primaires, Barack Obama a fustigé le système mis en place à Washington, se posant ainsi comme le candidat anti-*establishment*. Au cœur de sa cible, les puissants lobbies qui financent les campagnes électorales des candidats à la présidence et au Congrès, en échange de décisions leur étant favorables. Premiers visés : Hillary Clinton, dans son propre camp, et tous les républicains, au premier rang desquels John McCain. Obama, selon ses propres dires, n'accepte pour sa part aucun argent en provenance des lobbies. C'est vrai... en partie. Sa campagne accepte en effet les dons des salariés de ces lobbies, en tant que personnes, mais pas d'argent des organisations elles-mêmes. La distinction peut sembler ténue, mais elle est néanmoins sensible.

Toutefois, dans le passé, Barack Obama a pu se montrer moins réticent à l'idée d'accepter des dons d'argent de la part de lobbies. Le cas de la firme Exelon est à cet égard révélateur[1]. Basée dans l'Illinois, cette entreprise est le premier opérateur de centrales nucléaires aux États-Unis. Au total, elle a contribué à hauteur de 74 350 dollars aux différentes campagnes électorales de Barack Obama. Or, une

---

1. « Barack Obama Inc. », art. cit.

fois devenu sénateur au Congrès de Washington, ce dernier a particulièrement milité, en 2005, pour le refus d'un amendement à la loi sur l'énergie, qui aurait privé les opérateurs nucléaires de la possibilité de bénéficier de prêts importants. Alors, Obama a-t-il ainsi aidé ses « financiers » d'Exelon ? Est-il suspect de compromission ?

Mike Williams, un lobbyiste représentant plusieurs multinationales cotées à Wall Street, et qui connaît personnellement Barack Obama, explique son rôle. Obama « est quelqu'un de droit. En tant que lobbyiste, c'est quelque chose que vous appréciez. Vous n'avez pas besoin d'une réponse positive à votre demande à chaque fois, mais vous appréciez le fait de pouvoir compter les voix », vote après vote. Jusqu'au jour où l'on dit « oui » ?

8

Un début de campagne tonitruant

Jeudi 3 janvier 2008. Début officiel du processus électoral de la présidentielle 2008. La phase dite des « primaires », au sein des partis républicain et démocrate, s'ouvre dans l'État rural de l'Iowa, au centre du pays, par ce que l'on appelle les caucus. Cinq jours après, les habitants du New Hampshire, en Nouvelle-Angleterre (nord-est), se prononceront lors d'une primaire. Le Nevada, à l'ouest, puis la Caroline du Sud suivront quelques semaines plus tard.

Ces quatre États, aux composantes démographiques, économiques et sociales fort différentes, ont obtenu l'autorisation de la direction nationale du parti démocrate de tenir des primaires anticipées. Ces *early States*[1] sont cruciaux pour les candidats qui veulent avoir une chance de poursuivre leur route. Il leur faudra survivre pour pouvoir se présenter lors du Super Tuesday du 5 février.

C'est en effet une tradition américaine : tous les quatre ans, quelques États votent le même jour. Mais, cette année, ce mardi-là se révèle être un « Mega Tuesday ». Exceptionnellement tôt dans le calendrier[2], ce ne sont pas moins de vingt-deux États qui voteront pour leur candidat démocrate

---

1. On pourrait ainsi traduire par « États précoces » ceux qui votent avant la plupart des autres.
2. Le Super Tuesday a lieu le plus souvent au mois de mars.

lors de ce cru 2008. Les républicains ne sont quant à eux pas en reste, avec vingt et un États. Une consultation immense. Une sorte de répétition générale de l'élection de novembre. Les États restants se prononcent ultérieurement, dans un étirement du calendrier allant de mars à début juin.

Caucus et primaires, mode d'emploi

Dans les deux camps, les candidats à la présidence et leur colistier, le candidat à la vice-présidence, sont choisis au cours des grandes conventions de l'été, deux mois avant l'élection générale[1]. Les démocrates se rassemblent à Denver (Colorado, dans l'Ouest) fin août et les républicains se retrouvent à Minneapolis (Minnesota, au nord) début septembre. Ceux qui élisent le « ticket » sont appelés « délégués ». Ceux-ci sont eux-mêmes élus lors des primaires. Chez les démocrates, ils sont généralement élus à la proportionnelle (par exemple, si 15 % des voix va à Hillary Clinton, elle remporte 15 % des délégués). Chez les républicains, c'est la règle du *winner takes all*[2] qui prédomine : le candidat qui est en tête emporte la totalité des délégués de l'État.

Précision indispensable : le nombre de délégués par État est attribué en fonction de sa population. Plus un État comporte d'habitants, plus il rapporte de délégués. Autant dire que la Californie, New York, le Texas, la Pennsylvanie ou la Floride jouent un rôle crucial. Dans ces États, les démocrates comptent respectivement 441, 281, 228, 188 et 105 délégués. Au total, on dénombre 4 050 sièges de délégués à pourvoir pour la Convention ; pour être investi, le candidat doit donc atteindre le seuil fatidique de 2 025 délégués. Le Super Tuesday à lui tout seul en fera élire quelque 1 700. Ces délégués sont assermentés et ne peuvent donc

---

1. Voir prologue.
2. « Le vainqueur remporte tout. »

pas changer de candidat une fois à la Convention. Et pour compléter un système déjà compliqué, les démocrates ont inventé, dans les années 1970, les super-délégués. Ce sont les grands élus du parti – députés, sénateurs, maires, gouverneurs... – qui ont pour leur part le droit de changer d'avis, c'est-à-dire de candidat, jusqu'au vote lors de la Convention. En 2008, leur rôle ne sera pas négligeable.

Deux formules traditionnelles coexistent : les caucus et les primaires. En algonquin[1], « caucus » signifie « discuter », « parler », « débattre ». Ainsi, selon une tradition du XIXᵉ siècle fortement ancrée dans le système électoral américain, il ne s'agit pas d'une élection ouverte. Jadis, c'était les caciques du parti qui se prononçaient pour tel ou tel candidat lors d'une session fermée et au temps limité[2] ; aujourd'hui, ce sont les militants inscrits.

Une primaire est, en revanche, une élection telle qu'on l'entend au sens moderne : on vote toute la journée, dans des bureaux répartis dans toutes les villes. Elle peut être ouverte à tous les citoyens inscrits sur les listes électorales – un électeur démocrate, par exemple, peut voter dans une primaire républicaine –, ou fermée, c'est-à-dire exclusivement réservée aux électeurs préalablement affiliés au parti[3].

Chaque parti, dans ses instances, État par État, est libre de choisir d'organiser un caucus ou une élection primaire. D'une année électorale à l'autre, cette situation peut donc changer. Dans le processus de 2008, chez les démocrates, quinze États ont opté pour le caucus ; tous les autres, ainsi que les quelques territoires qui se prononcent également (îles Vierges, Guam, Porto Rico...), ont opté pour une primaire.

---

1. Cette tribu indienne est localisée dans la région des Grands Lacs, plus particulièrement dans la partie désormais canadienne.
2. Voir plus loin dans le chapitre.
3. Aux États-Unis, lorsque l'on s'enregistre sur les listes électorales, on déclare être républicain, démocrate, vert, libertarien ou encore indépendant.

Un automne hésitant

Barack Obama part en ayant en tête un plan bien précis. Alors que le grand enseignement du passé porte à mettre avant tout l'accent sur les grands États, l'équipe du sénateur de l'Illinois se rend partout où cela est possible. Ce fameux mouvement *grassroots* ne doit pas connaître de limites géographiques. La réalité financière d'une longue campagne face à ses redoutables adversaires Hillary Clinton et, dans une moindre mesure, John Edwards[1], s'impose également à Obama. Il faudra convaincre et gagner dès le début, au risque de voir l'argent filer chez ses concurrents.

L'été 2007 s'annonce plutôt rassurant pour Obama. Sa capacité à lever des fonds se confirme. En juin, il réussit à collecter 32,5 millions de dollars en trente jours[2]. Un score qui étonne les observateurs aguerris. Mais Hillary Clinton affiche elle aussi une excellente forme financière. D'ailleurs, lors du premier trimestre de l'année, la sénatrice a accumulé 24 millions de dollars, contre 18 millions pour Obama. Mais, au tournant de l'été, la tendance se renverse en faveur de l'élu de l'Illinois.

Si la candidature de Barack Obama est financièrement viable, la situation sur le terrain ne se révèle en revanche pas aussi simple. À partir de septembre, le candidat commence à ratisser méthodiquement les quatre États qui se prononceront avant le Super Tuesday : l'Iowa, le New Hampshire, le Nevada et la Caroline du Sud. Objectif : gagner au moins l'une de ces quatre primaires pour poursuivre l'aventure, politiquement et financièrement. Et, surtout, rogner le maximum de délégués grâce au système proportionnel, même en cas de défaite.

---

1. Ancien sénateur de Caroline du Nord, John Edwards était le candidat à la vice-présidence sur le même ticket que John Kerry en 2004.
2. « Obama posts donation record », *Chicago Tribune*, 2 juillet 2007.

Dans le Nevada, dominé par Las Vegas, l'équipe de terrain se développe rapidement. Le nord de l'État, autour de sa capitale Carson City, a beau être une région rurale et peu peuplée, un bureau de campagne y est néanmoins ouvert. À Las Vegas, métropole d'un million d'habitants, les quartiers défavorisés sont prioritairement ciblés.

Ainsi, en ce début de septembre 2007, les conseillers stratégiques d'Obama ont choisi le centre communautaire du quartier de Doolittle. Tout l'opposé des strass et des folies architecturales du fameux Strip. À cinq kilomètres à peine, pas de tubes à néon, pas de machines à sous, pas de cocktails à volonté. Mais des rues non entretenues, des maisons en voie de délabrement avancé et un taux de criminalité important. Doolittle est une sorte de banlieue-dortoir, et un quartier noir. Devant le gymnase, beaucoup d'excitation. Les stands vendent des badges et des T-shirts aux couleurs de Barack Obama. À l'intérieur, on ne se rend pas compte que la climatisation a été poussée à fond tant la chaleur est écrasante. Les paniers de basket sont relevés, le parquet recouvert d'une bâche verte est désormais foulé par près d'un millier de personnes dansant au rythme de la *soul music* sortant des haut-parleurs. Sur le mur du fond, la bannière étoilée a été déployée. « Le Centre Doolittle et Las Vegas accueillent Barack Obama », lit-on sur une longue banderole. Sur les autres murs, de nombreux posters du même acabit : « Viva Barack Vegas », « Nevada loves Obama », etc. Sur le côté, plusieurs dizaines d'adolescents de la Andre Agassi College Prep Academy chantent et dansent. Le reste de la foule est placé en hexagone autour d'un espace laissé vide au milieu.

Dans l'attente du candidat, Willy Couther, soixante-seize ans, laisse parler son enthousiasme. « Je vais voter pour lui, confie-t-il avec le sourire. Je veux qu'il retire notre armée d'Irak. Et, en plus, il a de la personnalité. » Sa femme est un peu plus circonspecte. Et avoue hésiter. « Nous sommes encore très tôt dans le processus du choix du candidat. Je dois encore entendre ce qu'il a à dire. » Joel Landon, soixante-neuf ans, et sa compagne, Wanda Beers, quarante-cinq ans, s'affichent comme convaincus. Pour eux aussi, « la guerre en Irak a été une terrible erreur » et Barack Obama se montre comme « quelqu'un de responsable ».

Ce public est pour moitié composé de Blancs, pour moitié de minorités ; on compte autant de Noirs que de Latino-Américains. Lorsque l'animateur annonce l'arrivée du sénateur, c'est le délire. Cris et applaudissements accompagnent la chanson de U2, « Beautiful ». Obama entre dans l'arène par une porte latérale. Les gardes du corps que le gouvernement lui a attribués le précèdent, puis s'écartent rapidement. En bras de chemise, tout sourire, Obama s'avance vers le milieu de la salle en serrant les mains qui se tendent. L'homme est assurément à l'aise dans ce bain de foule. Il semble savourer le moment, avant de demander le calme, qui s'instaure progressivement.

« C'est déjà ma septième visite dans le Nevada, commence-t-il. Et ce que l'on dit de Las Vegas, "Ce qui se passe à Vegas reste à Vegas"[1], n'est pas tout à fait vrai quand vous êtes candidat à la présidence ! » Rires de l'assistance. Visiblement d'excellente humeur, Obama enchaîne les plaisanteries. « Ma belle-mère a gagné 10 000 dollars aux machines à sous. Je lui ai dit : "Tu peux en faire donation pour ma campagne." Elle m'a répondu : "J'ai déjà pleinement contribué en donnant Michelle !" » La blague produit son petit effet sur l'assistance...

Puis le sénateur de l'Illinois poursuit sur la force de son mouvement, comme pour bien souligner le trait de ce qui se passe, déjà, dans cette campagne. « L'autre jour, nous avions 10 000 personnes dans l'Iowa. Puis nous étions 20 000 à Austin, au Texas, et 20 000 encore à Atlanta, en Géorgie. Il se passe quelque chose dans ce pays ! » C'est de l'autosatisfaction, mais Obama tente surtout de montrer aux quelques médias présents, essentiellement locaux, l'élan populaire que génère sa candidature. « Les gens viennent

---

1. Slogan officiel de la ville.

de partout, lance-t-il. Latinos, Noirs, Blancs... Des démocrates, des indépendants et même des républicains ! Surtout, pour beaucoup, il s'agit là du premier événement politique auquel ils assistent. »

Après cette introduction d'une quinzaine de minutes, Barack Obama aborde ses thèmes de prédilection : la division du pays, le cynisme de la classe politique, les parachutes dorés octroyés aux P-DG des multinationales, l'influence des compagnies pétrolières à Washington... « Trop, c'est trop », lâche-t-il dans une salve d'applaudissements. Le ton est volontiers populaire, voire populiste. Puis, dans un deuxième temps, Obama se montre plus précis. Il aborde la question du système de santé[1] en évoquant notamment la mort de sa mère, Ann, à l'âge de cinquante-trois ans, victime d'un cancer. Il promet que l'on peut résoudre les problèmes efficacement pour peu que l'on « s'y mette sérieusement ».

Pour justifier sa volonté de discuter avec les leaders mondiaux hostiles aux États-Unis, Obama cite JFK : « Il ne faut pas négocier à cause de la peur, mais il ne faut pas avoir peur de négocier. » Il promet qu'avec lui, comme Ronald Reagan en son temps, « l'Amérique sera de retour ». Il précise par ailleurs qu'il ne sera pas « un président parfait. Mais je vous dirai toujours quelles sont mes positions ».

Le meeting prend alors la forme d'un *town hall*, autrement dit d'une session de questions-réponses. Les spectateurs-citoyens lèvent la main et Obama désigne du doigt qui il veut entendre. C'est Barbara qu'il choisit pour poser la première question. Cette retraitée parle du drame de son endettement et de la perte de sa maison. Le candidat écoute attentivement, les mains dans les poches. Il acquiesce. Il compatit. En reprenant le micro, il indique sa volonté de « réguler le système des prêts immobiliers ». Habilement, il enchaîne avec son programme économique.

---

1. Pour plus de détails sur le programme de Barack Obama, voir chapitre 11.

Obama mentionne le taux de chômage qui monte, le spectre de la récession, la stagnation des salaires, bref, tout ce qui plombe la vie quotidienne des classes moyennes. L'une des solutions qu'il prône est la « reconstruction de l'Amérique », de ses infrastructures, s'entend, « routes, autoroutes, ponts ». Selon le sénateur, tous ces emplois ainsi créés « boosteront l'économie » du pays[1].

Miguel a une vingtaine d'années. Au micro, il crie son ras-le-bol d'être constamment ciblé par la police lors de contrôles d'identité. Il juge qu'en tant qu'Hispanique, c'est rien moins qu'un inadmissible délit de faciès. Obama explique que, lorsqu'il était sénateur dans l'Illinois, il avait fait passer une loi sur la question, obligeant les policiers à se justifier. Mais il pondère sa réponse en insistant sur l'éducation des enfants et la responsabilité qu'ont les parents de les « éloigner de la rue et de la délinquance ». Pour le coup, le quartier Doolitlle a bien été choisi pour faire passer ce message. Le public, d'ailleurs, approuve en applaudissant.

Le meeting se termine par un plaidoyer du candidat contre la pauvreté. « Pour moi, le meilleur moyen de lutter contre la pauvreté, c'est de créer des emplois. On peut le faire, dans les infrastructures, mais aussi dans le domaine des nouvelles énergies, comme les panneaux solaires. Vous, dans le Nevada, vous voyez bien l'avantage de l'énergie solaire ! » lance-t-il à une assistance qui a l'habitude de subir un soleil de plomb presque quotidiennement. « Surtout, l'union peut aider à réduire la pauvreté. Pas les divisions. » Barack Obama appelle enfin à la mobilisation, disant qu'il ne « pourra pas tout résoudre tout seul » s'il est élu. « C'est à vous, citoyens, de faire bouger les choses dans vos communautés. »

---

1. Les deux derniers grands plans nationaux d'infrastructure remontent au New Deal de Franklin Roosevelt, dans les années 1930, et au lendemain de la Seconde Guerre mondiale.

La chanson « People », de Stevie Wonder, conclut la réunion. L'assistance danse avec le sourire et tape des mains, pendant qu'Obama se délecte d'un nouveau bain de foule. À reculons, il se retire au bout de vingt minutes... Dehors, on ne se presse pas pour partir. Les T-shirts (20 dollars) et les badges (de 3 à 5 dollars) se vendent bien. Amber Bolton, mère de famille de vingt-huit ans, a « a-doré Barack ». « Je suis d'accord avec son programme, dit-elle tout en grondant sa petite fille. L'Irak, le système de santé : tout cela va dans le bon sens. » On repasse par le Strip. La tour Eiffel en toc du Paris Las Vegas, la statue de César devant son palace et les montagnes russes du New York, New York laissent un drôle de goût dans la bouche. Les enjeux de l'Amérique sont décidément bien ailleurs. Il n'y a qu'à regarder du côté de Doolittle. Obama donne l'impression de l'avoir compris.

Entre début septembre et fin décembre 2007, Barack Obama ratisse les quatre *early states*. Réunion après réunion, les salles s'agrandissent. Le mouvement, sur le terrain, semble prendre de l'ampleur. Les médias en rendent compte plus régulièrement. Mais le sénateur de l'Illinois demeure l'outsider de la course. Dans tous les sondages, il reste largement battu par Hillary Clinton, tant au niveau national qu'à l'échelon local. Mais, dans le courant du mois de décembre, les experts sentent un frémissement. L'ex-First Lady stagne, tandis que la cote de Barack Obama prend de l'ampleur dans l'Iowa et le New Hampshire, les deux premiers États à se prononcer. Dans les diverses études d'opinion, il commence à faire jeu égal avec la sénatrice de New York[1]. Au tournant de l'année 2008, à trois

---

1. Selon un sondage Bloomberg/*Los Angeles Times* publié le 28 décembre 2007, Clinton obtient 29 % des voix (contre 28 % en septembre), Obama 26 % (contre 19 % en septembre) et Edwards 25 % (contre 23 % en septembre). Les cinq autres démocrates sont très loin derrière. Barack Obama réalise donc la plus belle progression. C'est une course à trois qui se profile alors.

jours des caucus de l'Iowa, l'excitation est à son comble chez les partisans d'Obama. Et s'il créait la surprise ?

Le souffle de l'Iowa

Iowa. Le mot sonne comme un nom indien. Plein centre des États-Unis, légèrement au nord. Vingt-neuvième État à entrer dans l'Union américaine en 1846, l'Iowa est l'un de ces coins reculés de l'Amérique où il ne se passe pas grand-chose. Tout juste sait-on qu'il a contribué à la légende américaine en mettant au monde un certain John Wayne... Mais l'Iowa, c'est aussi et surtout une immense plaine, arrosée à l'ouest par le Missouri et à l'est par le Mississippi. Comme le signale l'expression consacrée, c'est l'un des « greniers des États-Unis ». Maïs ou soja à perte de vue. Sa partie sud abrite tout de même une région touristique : Madison Country et ses fameux ponts, qui ont fait tourner les têtes de Meryl Streep et Clint Eastwood dans *Sur la route de Madison*. À proximité de l'un des ponts de bois couverts, on peut trouver un petit office du tourisme, avec souvenirs du tournage.

En survolant l'Iowa en ce début janvier 2008, c'est l'inhospitalité de la région qui frappe avant toute chose : des terres totalement plates et intégralement recouvertes de neige. « Bienvenue à Des Moines ». Température extérieure : – 15 °C, ce qui est clément. On remonte le col du manteau. On marque un arrêt sur la passerelle. Alors qu'on se lance à l'assaut de l'Iowa, on se rend compte que les candidats à la Maison Blanche sont tout de même courageux. Certains d'entre eux ont passé plus de soixante jours au total à ratisser en large et en travers cet État, depuis l'automne. Chris Dodd, sénateur démocrate du Connecticut, a même tenu à s'y installer avec femme et enfants.

Par tradition, l'Iowa est le premier État à voter lors des élections présidentielles. Ou plutôt à organiser les caucus. Il rivalise avec le petit État du New Hampshire, en

Nouvelle-Angleterre, qui organise pour sa part des élections primaires. Cette année, seules cinq journées séparent les deux consultations. En ce jeudi 3 janvier 2008, les partis républicain et démocrate tiennent simultanément leurs caucus, marquant le grand coup d'envoi de l'élection présidentielle. Certains candidats ont cependant décidé de faire carrément l'impasse. Ils sont bien présents sur les bulletins de vote, mais ont décidé de ne pas faire campagne sur ces terres agricoles. C'est le cas notamment de Rudy Giuliani, alors favori pour l'investiture républicaine dans les sondages nationaux, qui ne mise que sur la primaire de Floride.

Dans les rangs des démocrates, Hillary Clinton a curieusement longtemps hésité. Ses conseillers lui ont demandé, à l'automne, de réserver ses forces pour les primaires du New Hampshire, territoire remporté par son mari Bill lors des primaires de 1992 et réputé « clintonien ». Mais l'ex-First Lady a finalement décidé, vers la fin novembre, de s'y investir. Plusieurs millions de dollars ont été dépensés pour sa campagne uniquement dans l'Iowa, nécessitant l'embauche de près de cent collaborateurs, sans compter les volontaires, pour seulement une poignée de semaines. Ce revirement surprenant est notamment dû au fait que Barack Obama, distancé dans les sondages nationaux durant tout l'automne, s'accrochait dans l'Iowa. Lui et John Edwards ont accumulé les allers et retours entre Des Moines et Concord, capitale du New Hampshire, où les deux outsiders placent tous leurs espoirs.

Nous sommes au matin du jour J. « C'est bon pour le business. » Dennis, chauffeur de taxi à Des Moines, se frotte les mains. Pour se réchauffer, mais aussi en guise de satisfaction. « L'excitation est à son comble, aujourd'hui. Et cela fait parler de l'État. » Aujourd'hui, en effet, la planète entière sait placer sur la carte ce petit territoire. Près de trois mille journalistes du monde entier sont attendus. Mais Dennis ne veut pas parler politique... avant de rapidement changer d'avis.

« Moi je ne vais pas au caucus ce soir, dit-il.

— Vous travaillez ?

— Non, non. Mais je n'aime aucun candidat. C'est tous les mêmes. Je milite pour le parti socialiste américain[1].

— Que pensez-vous de Clinton, Obama et Edwards ?

Dennis fonce sur la quatre voies, mais marque une pause dans son discours enflammé. Il est africain-américain et peut-être accorde-t-il le bénéfice du doute au sénateur de l'Illinois.

— Ils disent la même chose et ne pensent absolument pas aux classes moyennes et aux défavorisés. Tout ça, c'est de la politique comme elle se pratique dans ce pays depuis deux cents ans. »

La conversation se termine : nous sommes arrivés à destination.

Le cœur de Des Moines est tout blanc. Les piétons arborent bonnets et autres chapkas. Tout autour du Polk County Conference Center, un palais des congrès ultramoderne qui sert de centre de presse, on note l'effervescence de la campagne. Le bus du républicain Fred Thompson, l'ex-sénateur du Tennessee reconverti comme acteur dans *Law & Order*, passe au ralenti. Exactement à l'image de sa campagne. Au croisement de 4th Street et de Locust Street, les quartiers généraux de campagne de Ron Paul et Mike Huckabee jouent à touche-touche. D'ailleurs, ces deux conservateurs-là sont également proches dans leurs idées. À vingt mètres de distance, cinq étudiants ont épinglé en évidence leurs badges « Hillary 2008 ».

Le caucus, dans les deux partis, doit commencer à 18 h 30 précises. Pour atteindre le QG de Barack Obama, on traverse la rivière Des Moines, entièrement gelée. Sur le pont souffle un vent violent, à décorner les bisons qui, autrefois, migraient dans ces grandes plaines centrales américaines. Au bout de la rue, le Capitole, siège du

---

1. Le parti socialiste américain, d'inspiration marxiste et désormais sous influence trotskiste, ne réunit sur son nom qu'à peine 1 % des voix, lorsqu'il est à même de se présenter dans les scrutins.

gouvernement de l'Iowa. À gauche, l'hôtel de ville. À droite, les bureaux de campagne d'Obama ne présentent qu'une petite devanture. Deux jeunes gens tiennent à bout de bras une large banderole « Barack Obama ». Leurs oreilles sont rouges. Dur d'être militant. La petite entrée, où seule une standardiste totalement stressée s'active, semble étonnamment calme. Une jeune femme sort par une porte bien cachée, portant une caisse avec des boissons. Elle garde le sourire, malgré le froid.

Puisque personne ne monte la garde, on avance. La seconde salle se révèle une véritable ruche. Les tubes de néon au plafond saturent l'atmosphère. Par terre, des journaux, des paquets de chips éventrés, des boîtes à pizza vides. Aux murs, les slogans de campagne du candidat : « *Fired up ! Ready to go !* » ; « *Got hope ? Obama* » ; « *Obama for President* ». Mais aussi des encouragements : « *We love our volunteers*[1]. »

Plusieurs dizaines de militants passent, repassent, piétinant des pancartes laissées au sol. D'autres sont attablés à leur bureau, soudés au téléphone. À une heure et demie de l'échéance, c'est le dernier coup de reins. « Allô ? Avez-vous l'intention d'aller voter au caucus ? Vous nous avez dit que vous penchiez plutôt pour Obama. Voulez-vous qu'on vienne vous chercher en voiture ? »

Face à Tim, qui essaie tant bien que mal de demeurer concentré, une fiche d'instruction est punaisée au mur. De drôles de codes. Inscrit sur la fiche : LM pour « Left Message », NH pour « Not at Home » et BN pour « Bad Number[2] ». Pour chaque conversation, les bénévoles doivent établir un rapide compte rendu : supporter inscrit ; soutient Obama ; tend vers Obama ; tend vers Clinton ; tend vers Richardson...

---

1. « Chauds ! Prêts ! », « De l'espoir ? Obama », « Obama Président », « Nous aimons nos bénévoles ».
2. « A laissé un message », « Pas chez lui », « Mauvais numéro ».

Dans un coin, Samantha Power et Cass Sunstein, conseillers du sénateur, respectivement en politique étrangère et en droit constitutionnel, devisent en souriant. « On a bon espoir », confie cette enseignante à la Kennedy School of Government, à Harvard, avant de se replonger dans son ordinateur. Elle suit en temps réel la crise au Pakistan[1], afin d'avertir Barack Obama de toutes les informations nécessaires. Mais aucune nouvelle cruciale en provenance d'Asie centrale ne viendra bousculer la nuit électorale.

17 h 30. La nuit est désormais totalement tombée sur Des Moines. Les rues se sont vidées et très peu de voitures circulent. East Locust se prolonge, le Capitole en ligne de mire. À un carrefour, la circulation est barrée : un plateau de télévision y a été monté, sous une tente. Derrière les projecteurs, George Stephanopoulos parle en direct. Ce présentateur d'émissions politiques sur ABC n'est pas tout à fait un commentateur comme les autres. Il fut, au début des années 1990, porte-parole d'un certain Bill Clinton, gouverneur de l'État de l'Arkansas et candidat à la présidence. Avec le Cajun James Carville, ce petit brun a joué un grand rôle dans la victoire du démocrate sur George Bush père. Il gagne désormais sa vie en distillant devant les caméras des analyses politiques tirées au cordeau. Sur qui parie-t-il ce soir ?

Un peu plus loin, un immeuble de brique s'impose dans l'obscurité. Rien n'indique, sur sa façade, qu'il s'agit d'un bureau de vote. Tout juste distingue-t-on quelques dizaines de personnes s'activer dans le hall d'entrée. Bienvenue au musée d'Histoire de l'Iowa. L'éclairage blafard tranche avec la nuit polaire. On remarque tout de suite, suspendus au plafond, les modèles grandeur nature de deux avions biplans. Dans un coin, une superbe automobile Mason Runabout rouge écarlate, fabriquée à Des Moines en 1906, comme l'indique la notice. À l'opposé, une autre belle mécanique : le squelette (réel) d'un mammouth semble

---

1. L'ex-Premier ministre Benazir Bhutto a été assassinée quelques jours plus tôt.

veiller sur les habitants, qui arrivent au compte-gouttes. Le stand d'Hillary Clinton a été dressé sous les défenses demeurées intactes. Certains, chez Obama, y verront un symbole. Car si l'éléphant est le symbole du parti républicain et non du parti démocrate, beaucoup de militants du sénateur de Chicago aiment voir en Hillary un dinosaure de la politique américaine.

C'est donc dans ce décor insolite que le *precinct 64*[1] a été installé. Ainsi vont les caucus chez les démocrates : chaque candidat dispose de tréteaux, volontairement espacés de quelques mètres dans plusieurs recoins de la salle. À gauche, Clinton, puis Biden et Dodd. Légèrement à droite, devant l'entrée, Obama. Plus à droite encore, Richardson. Plein centre, John Edwards. Si les militants d'Obama n'offrent que des cookies, ceux de Clinton proposent des sandwichs. Question de budget, sans doute... Les électeurs doivent d'abord s'inscrire ou se faire pointer. Il faut se déclarer démocrate *a priori* pour pouvoir voter.

Le président du caucus va prendre la parole. Son nom claque comme un coup de Smith & Wesson : Jack Porter. Et il a le physique qui va avec. Dodu, la barbe blanche, engoncé dans une veste bleu marine, il prend son rôle au sérieux. « Que tous les observateurs et ceux qui ne votent pas se placent dans ce coin », indique-t-il de la main. Sans micro, il crie les consignes à une foule désormais imposante. Il est 18 h 30, l'heure fatidique approche.

Derrière la longue table placée face à la porte d'entrée, des membres de l'organisation tiennent à bout de bras des pancartes : A-I, J-N, O-Z. Les électeurs se placent en trois files, par ordre alphabétique. David Deleon attend son tour. Ce jeune homme de dix-huit ans va voter pour la première fois de sa vie. Il se dit « excité », mais paraît calme. « Obama est le mieux placé pour changer la politique, dit-il posément. J'ai aussi fait quelques recherches sur le programme d'Hillary, mais je ne pense pas qu'elle puisse apporter un

---

1. Le bureau de vote 64.

quelconque changement en étant à l'intérieur du système. »
Étudiant en sciences, il semble résolu.

Dans la file voisine, Steve Pearson se déclare quant à lui
fervent supporter de l'ex-First Lady. À cinquante-neuf ans,
il estime que c'est l'expérience qui compte. « Selon moi,
affirme-t-il, son plan pour réformer le système de santé est
le meilleur. Moi-même, je dispose d'une assurance, mais il
y a tout de même trop de gens dans ce pays qui n'ont
aucune couverture. Parce que ça coûte trop cher ! » D'un
regard bleu appuyé, il revient sur le « facteur expérience ».
« Regardez l'actuel Président, George W. Bush. Aucune
expérience[1]. Vous avez vu le résultat ? »

Susan Gloza, quarante-trois ans, ne cache pour sa part
pas son énervement. Avec son amie, elle n'a pas hésité à
venir depuis l'Indiana ; un État voisin, certes, mais qui lui a
valu de faire un bout de route conséquent. Susan travaille
dans une usine de métallurgie, où elle manie un équipe-
ment lourd. Elle soutient, comme la plupart de ses camarades syndiqués, la candidature de John Edwards. Ce
dernier a ratissé l'Iowa des mois durant. Depuis son échec
avec John Kerry lors de la présidentielle de 2004, il a entretenu ses contacts, préparé avec soin une éventuelle nouvelle candidature. Il place, ce soir, de nombreux espoirs
dans cette élection. « Je suis une travailleuse de la classe
moyenne, commente Susan. Et John parle justement de
nous. Il veut une assurance santé pour tous. J'espère sincèrement qu'il va l'emporter. »

Mais, à quelques minutes du scrutin, ce sont, à l'œil nu,
les supporters déclarés de Barack Obama qui semblent le
plus nombreux. Anthony Welch, cinquante-neuf ans, en
chaise roulante, va voter Obama. Cet entrepreneur africain-américain voit en lui « le seul changement. Il n'a pas

---

1. George W. Bush a été gouverneur du Texas pendant deux mandats
successifs avant d'accéder à la Maison Blanche. Mais il ne disposait en
effet d'aucune compétence en matière internationale. On pourrait en
dire autant de Bill Clinton, avant son élection en novembre 1992.

encore une expérience trop longue au Congrès et il est, je trouve, plus humain », livre-t-il. Anthony a déjà voté lors des précédents caucus. Bill Clinton, puis Howard Dean en 2004. En revanche, c'est la première fois pour Mary et Mace Boshart, vingt-six ans tous les deux, jeunes mariés et respectivement psychologue et assistant-physicien. « Obama a fait du bon boulot en tant qu'élu du Sénat de l'Illinois. Il a réussi à rassembler démocrates et républicains sur bon nombre de sujets. C'est cela qu'on aime : il est modéré et raisonnable. »

H – 5 minutes. Les *precinct captains* de chaque camp recomptent leurs troupes.

19 heures précises. Les portes ont été fermées. Jack Porter entre en scène. Il lit la lettre de bienvenue du parti démocrate. Applaudissements. L'ambiance monte. « Je suis abasourdi par la participation », clame Porter, toujours sans micro. Applaudissements encore plus nourris. On se regarde. Les plus âgés ne sont pas les moins excités. Comme si on était conscient que quelque chose d'historique se tramait. Le président et ses assistants commencent maintenant à égrener les numéros : chaque électeur s'en est vu attribuer un. « 1, 2, 3, 4... » Les gens lèvent la main, crient : « yeah », « ici », « présent ». On s'assure que l'on a compté tout le monde. Après plus d'une demi-heure, le total est annoncé : 402 !

Si, chez les républicains, il suffit pour valider son vote de cocher un nom sur la liste des candidats, la règle se révèle bien plus compliquée chez les démocrates. Pour être viables, c'est-à-dire pour voir leur score pris en compte, les candidats doivent rassembler sur leur nom au moins 15 % du total des électeurs présents. Soit, ce soir, soixante personnes. Les militants qui se portent sur un candidat qui ne rassemble pas ce suffrage ont ensuite le droit de choisir un deuxième candidat.

19 h 45. Avec un peu de retard, tout le monde est prêt pour le vote. Au signal de Jack Porter, les électeurs, comme aimantés, rejoignent le coin de leur candidat. Pendant

quinze minutes, c'est la confusion. Tout le monde parle.
On crie. On se charrie. Le coin Clinton, sous le mammouth, semble se former très vite. Sourires satisfaits.
À droite de l'escalier en colimaçon, en revanche, c'est la
soupe à la grimace. Personne chez Gravel et Kucinich.
Une poignée de militants se porte vers Biden et Dodd.
À 180 degrés derrière, une bonne trentaine de personnes
votent Bill Richardson. Ce ne sera pas suffisant. Mais la
surprise vient du camp de John Edwards. Debout sur une
chaise, on compte un à un les supporters. « Je ne crois pas
qu'il soit viable », dit calmement un observateur. Pour l'ex-
sénateur de Caroline du Nord, dans ce bureau de vote, il
sera difficile de se maintenir. Et si c'était le cas dans les
autres caucus ? À qui ses électeurs se rallieront-ils : Obama
ou Clinton, qui avait également fait campagne pour le
changement ?

Dans le coin attribué à Barack Obama, c'est l'euphorie.
On se compte, on se recompte. À vue de nez, le groupe
semble légèrement plus nombreux que celui de Clinton.
Premier verdict au bout d'un quart d'heure : Hillary Clinton
111, Barack Obama 178, John Edwards... 52.

Le règlement officiel du parti démocrate stipule que le
caucus (le choix à proprement parler) doit être clôturé
après trente minutes. S'ensuit donc un quart d'heure de
folie. Le groupe Edwards doit absolument trouver huit personnes, parmi les électeurs des candidats largement élimi-
nés, pour « survivre ». Le camp de Bill Richardson est le
plus courtisé. Les capitaines des grands candidats s'affai-
rent à discuter avec la trentaine d'électeurs du gouverneur
du Nouveau-Mexique. « Allez, aidez-nous à rester dans la
course, c'est important », tente de convaincre le représentant d'Edwards. La majorité du groupe hésite. Les clinto-
niens attendent les cinq dernières minutes, puis se lancent
dans un argumentaire de choc. « Imaginez Hillary présidente. Richardson ferait un super secrétaire d'État, vous ne
pensez pas ? » Du marchandage. On se croirait à la criée au
petit matin. Ça hurle, ça ment. Voyant les efforts du camp

Clinton, celui d'Obama réagit. Samantha Power, arrivée entre-temps, contre-attaque : « Barack à la Maison Blanche, c'est le visage de l'Amérique et le monde qui changent d'un seul coup ! » Parmi les rangs d'Edwards, on compte encore. 59 ! « Encore un, encore un ! » hurlent-ils.

Les trente minutes sont écoulées. C'est terminé. Les voix se sont légèrement tues, mais l'excitation reste à son comble. Doucement, méthodiquement, les officiels comptent les voix. Clinton n'a pas bougé. Edwards est miraculeusement passé à 65. Obama, de son côté, triomphe : 212. Quasiment le double de Clinton. On sort les téléphones portables. CNN donne Edwards dans le jeu. Et Obama et Hillary au coude à coude. Cela ne va pas durer…

La rumeur se répand comme une traînée de poudre dans les rues de Des Moines, soudainement plus animées. Certains hurlent de joie, d'autres font grise mine. Au Centre des congrès, où la presse mondiale est installée, les écrans commencent à projeter les premiers résultats fondés sur les sondages sortis des urnes. Chez les républicains, le suspense ne dure guère. C'est Mike Huckabee qui l'emporte largement, avec huit points d'avance sur Mitt Romney. Une claque pour le millionnaire mormon, qui a dépensé sans compter pour ces caucus. Il se voit dépassé par l'ancien pasteur baptiste de l'Arkansas, qui, il y a quelques semaines encore, semblait totalement perdu dans le Grand Nord. John McCain résiste, mais loin derrière. Les autres sont pour ainsi dire largués.

Au sein du parti de l'âne, en revanche, la décision met un peu plus de temps à se dessiner. Mais, vers 21 heures, il ne fait guère plus de doute que Barack Obama l'a emporté. Les instituts le donnent entre sept et neuf points devant Hillary Clinton : 37 % contre 29 %. Encore plus difficile pour la sénatrice : John Edwards lui passe juste devant, avec 30 % des voix. Pour les observateurs politiques, il s'agit d'un raz de marée. Un jeune sénateur noir, inconnu du grand public et des électeurs de l'Iowa, l'a emporté sur des terres où la population blanche est majoritaire à 93 %…

Alors que l'on a l'impression d'un tourbillon médiatique, les rues de Des Moines sont redevenues extrêmement paisibles. Les restaurants ont fermé bien avant 22 heures. Ses habitants sont partis se coucher : demain, il faudra aller travailler. Pourtant quelques cortèges, ici et là, se rendent à un autre centre de congrès, le Hy Vee Hall.

Lorsqu'on entre dans l'immense salle aux murs blancs, aux passerelles métalliques et aux armatures de fer noir, la chaleur saute à la gorge de ceux qui ont passé trop de temps dans l'hiver. Environ deux mille personnes surexcitées sont déjà là. Une énorme bannière étoilée est déployée derrière un podium où les supporters frappent dans les mains au rythme d'une musique soul chantée avec le sourire. À gauche du parterre déjà totalement rempli par la foule, un groupe de lycéens noirs, tous vêtus d'un T-shirt jaune vif, jouent des percussions *live* et dansent selon une chorégraphie précise, sous les ordres d'un maître de ballet emporté par l'ambiance.

Une nuée de caméras fait face au pupitre où le héros de la soirée va s'exprimer. Barack Obama a appris la nouvelle de sa victoire alors qu'il dînait avec sa femme Michelle et ses filles. Il peaufine, en ce moment même, un discours qui se veut historique. En attendant, divers speakers font monter la pression. « *Fired up ! Ready to go !* », « Ce soir, nous écrivons l'Histoire. » Sur le mur du fond, des panneaux indiquent que les « quartiers généraux sont toujours ouverts. Venez passer des coups de fil aux électeurs des autres États ». Si une bataille est gagnée, la guerre s'annonce quant à elle bien longue.

Après « Celebration », de Kool and the Gang, la chanson de U2 « Beautiful », hymne de campagne, annonce l'arrivée d'Obama. Une vraie rock star. Lorsqu'il apparaît avec femme et enfants à ses côtés, c'est tout simplement le délire. Michelle porte une robe bleu roi et un collier de perles à la manière d'une Jackie Kennedy. Lui porte un costume sombre et sobre, et arbore une cravate bleu ciel. Parfait pour les télés. Le candidat salue longuement la foule, le sourire aux lèvres. Les applaudissements durent, durent encore. Il embrasse ses enfants, excités, pendant la *standing ovation* des militants. « O-ba-ma ! O-ba-ma ! »

« Ils disaient que cet instant ne viendrait jamais ! [...] Vous avez fait ce soir ce que l'Amérique va faire cette année », clame-t-il. Obama est heureux, serein. L'euphorie, s'il la ressent, est bien intériorisée. La bête politique a repris le dessus. Il le sait, le discours qu'il s'apprête à prononcer est d'une importance cruciale. Il peut décider de son avenir dans ces élections primaires. Retransmis sur toutes les ondes en direct, il sera également imprimé dans tous les quotidiens du pays, demain matin.

« Vous savez, ils ont dit que ce jour ne viendrait jamais. Ils ont dit que nos attentes étaient trop élevées. [...] Ils ont dit que ce pays était trop divisé, trop déçu pour pouvoir un jour se rassembler autour d'un objectif commun. Mais, en cette nuit de janvier – à ce moment décisif de l'Histoire –, vous venez de faire exactement ce que les cyniques pensaient que nous ne ferions jamais. Vous avez réalisé ce que l'État du New Hampshire peut faire dans cinq jours. Vous avez concrétisé ce que l'Amérique peut faire en cette année 2008. Dans ces longues files d'attente autour des écoles et des églises, dans les petites villes et les grandes villes, ensemble – démocrates, républicains et indépendants –, vous vous êtes rassemblés pour démontrer que nous ne formons qu'une seule et même nation, que nous sommes un seul et même peuple, et que, pour nous, le temps du changement est arrivé ! »

Vendredi matin. Les médias n'ont plus d'yeux que pour lui. Les émissions de télévision repassent en boucle le discours et les images de sa victoire. Les analystes politiques avouent qu'ils n'avaient pas prévu une telle marge entre Obama et Hillary Clinton. Certains, d'ailleurs, n'hésitent pas à enterrer (un peu trop vite) l'ancienne Première Dame. Les grands quotidiens ont tous publié à leur une les photos de la fête : Obama saluant la foule, Obama embrassant sa femme, les supporters en délire...

À l'aéroport de Des Moines, la plupart des vols de ce vendredi sont remplis par les journalistes. Washington et Manchester, dans le New Hampshire, sont les destinations les plus prisées. Obama, Clinton, Edwards et les autres ont d'ailleurs déjà volé, de nuit, vers le petit État de Nouvelle-Angleterre, dont l'élection primaire se tient cinq jours plus tard. Ils sont déjà en train de serrer les mains dans les cafés de Concord. Quant à Chris Dodd, avec son 1 % réalisé jeudi soir dans l'Iowa, il a déjà décidé de quitter la course à la Maison Blanche. Cela valait bien le coup d'y louer une maison !

Hillary à quitte ou double

La victoire d'Obama est un tel coup de tonnerre dans le paysage politique américain que plusieurs commentateurs vendent quasiment la peau de Hillary Clinton. La sénatrice doit en effet absolument l'emporter dans le New Hampshire si elle ne veut pas se laisser submerger par la « vague Obama ». Elle a moins d'une semaine pour rétablir la confiance au sein de son équipe, rassurer ses partisans et se relancer dans la course. C'est peu. Déjà, les premiers sondages post-Iowa la donne au coude à coude avec Barack Obama. Quelques semaines auparavant, Hillary bénéficiait pourtant d'une avance à deux chiffres ! Le 7 janvier, Obama est même crédité dans les sondages d'une avance comprise entre 5 et 13 % ; la dynamique de sa large victoire dans l'Iowa paraît se confirmer[1].

Mais la veille du scrutin, le 7 janvier, lors d'une rencontre dans un café de Portsmouth avec seize électeurs indécis (dont quatorze femmes), Hillary Clinton réalise un coup de maître. Veste bleu électrique, boucles d'oreilles pendantes, elle s'attable et prend le micro. On lui pose une

---

1. « Polls were right about McCain but missed the call on Clinton's primary win », *Washington Post*, 9 janvier 2008.

question sur la campagne en cours et, soudainement, un sanglot étrangle sa gorge. Ses yeux s'embuent. « Vous savez, dit-elle, j'ai tellement de projets pour ce pays... Je ne veux pas le voir régresser. » La voix nouée, elle fait une pause. Applaudissements des clients du café. « J'en fais réellement une affaire personnelle. Ce n'est plus seulement politique, ce n'est plus seulement public. Je vois ce qui se passe. Nous devons renverser le cours actuel des choses. Certains pensent que les élections sont un jeu – qui monte, qui est en baisse. Mais ce dont il est question, c'est de notre pays, de l'avenir de nos enfants, de comment vivre tous ensemble... » Ce cri du cœur prend, en quelques secondes, un tour plus politique. Voire polémique. « Mais certains d'entre nous [les candidats] ont raison, certains d'entre nous ont tort. Certains d'entre nous sont prêts, d'autres ne le sont pas. Certains d'entre nous savent ce qu'ils vont faire le premier jour. D'autres n'y ont pas suffisamment réfléchi. » Cette dernière remarque est clairement une pierre dans le jardin d'Obama. Le message reste le même : il est trop jeune, son tour n'est pas encore venu.

Était-ce prémédité, comme l'affirment ses détracteurs ? Ou bien la candidate, épuisée et déçue par sa défaite dans l'Iowa, n'a-t-elle tout simplement pas pu contenir son émotion ? Quoi qu'il en soit, le résultat est le même : l'épisode est diffusé en boucle sur les chaînes d'information et crée un incroyable buzz sur Internet. Les dépêches et les journaux ne s'y trompent pas : l'idée de planifier une rencontre avec des femmes dans un endroit que côtoie tous les jours l'Américain de base a fonctionné. Clinton est enfin apparue humaine. « Les gens ont vu la vraie Hillary Clinton, déclare Terry McAuliffe, ex-président du parti démocrate et conseiller de l'ancienne First Lady. Ce moment a montré son côté humain, son côté passionné. Hillary Clinton est passionnée par ces grands sujets[1]. »

---

1. « Clinton's stunning victory », *Chicago Tribune*, 9 janvier 2008.

Les résultats font l'effet d'une bombe... À l'opposé de ce qu'il s'était passé dans l'Iowa. Hillary Clinton, donnée largement perdante depuis cinq jours, l'emporte avec 39 % des voix, contre 36 % pour Obama. John Edwards, qui avait également devancé la sénatrice dans l'Iowa, a cette fois-ci décroché (17 %). Il lui sera désormais très difficile de poursuivre la course, ne serait-ce que sur le plan financier.

Dans son discours de victoire, Hillary Clinton boit du petit lait. Elle est passée près de la catastrophe et c'est presque en « survivante » qu'elle apparaît sur les écrans américains, en direct du New Hampshire. « Je viens ici ce soir avec un cœur gros. Je vous ai écoutés et, dans le même temps, j'ai trouvé ma propre voix, dit-elle sous les acclamations de ses supporters. Donnons à l'Amérique le genre de *come-back* que le New Hampshire vient de me donner ! », conclut-elle, triomphante.

De son côté, Barack Obama apparaît déçu. Il semble évident que son équipe croyait en une deuxième victoire consécutive, qui aurait peut-être annoncé le retrait de sa principale adversaire. Mais devant les caméras, le sénateur de l'Illinois veut positiver et rester concentré sur son message. « Il y a quelques semaines, personne n'imaginait que nous accomplirions ce que nous avons fait ce soir dans le New Hampshire, dit-il sans passion. Pendant très longtemps dans cette campagne, nous étions loin derrière... Mais vous êtes venus en nombre, et vous vous êtes levés pour le changement. » Dans les coulisses, cependant, les conseillers ont sorti les calculatrices : sur les vingt-deux délégués en lice, Hillary Clinton en gagne douze et Barack Obama neuf ! Autrement dit, la victoire de la première n'est pas suffisante pour reprendre la main. Ce scénario se reproduira à plusieurs reprises lors des primaires suivantes.

Barack Obama négocie donc le virage Nevada-Caroline du Sud dans le doute. Ces deux États, les derniers avant le fameux Super Tuesday du 5 février, se prononcent respectivement les mardis 19 et 26 janvier : des caucus sont organisés dans l'État de l'Ouest, tandis que des primaires classiques se tiennent dans la Caroline, à forte population africaine-américaine.

Après la victoire surprise de Hillary Clinton, c'est désormais elle qui a le vent en poupe. Elle est donnée gagnante dans le Nevada, où elle bénéficie d'un fort soutien de la communauté hispanique. En Caroline du Sud, en revanche, c'est plutôt l'inconnu. Lorsqu'il était président, Bill Clinton a noué des liens très étroits avec la communauté africaine-américaine. Notamment avec les notables noirs du parti, dans le Grand Sud. Mais, pour la première fois, un candidat africain-américain a une chance d'obtenir la nomination. Le duel s'y annonce donc serré.

Des caucus sur tapis vert

La route de la nomination passe par... les casinos de Las Vegas ! Le Nevada est répertorié par les états-majors des candidats comme un État pivot. Moitié républicain et moitié démocrate, le « Silver State », comme on le surnomme, fait partie de cet ensemble de l'Ouest qui jouera peut-être un rôle crucial lors de l'élection générale, au même titre du reste que le Colorado, l'Arizona ou encore le Nouveau-Mexique. Et comme les démocrates se prononcent dans un caucus en ce 19 janvier, il faut, là aussi, venir convaincre.

Afin de s'assurer un important taux de participation lors de ces caucus, clé d'une éventuelle victoire sur Hillary Clinton, Barack Obama doit s'attirer le soutien de la communauté hispanique, présente à 25 % dans le Nevada[1], et d'un syndicat un peu particulier. Rendez-vous est pris au siège de la Culinary Workers Union. Le bâtiment plat, à un seul étage, ne ressemble pas à grand-chose. À l'écart du Strip, à l'ombre de l'hôtel-tour Stratosphère, l'adresse semble posée sur des friches. C'est dans ce triste décor qu'Obama débarque en fin d'après-midi, quelques semaines avant la

---

1. Source : U.S. Census, chiffres 2006.

tenue des caucus. Les journalistes, installés une heure avant le sénateur, sont fouillés au détecteur de métaux. La salle du premier étage se remplit peu à peu. Hommes et femmes portent tous des T-shirts rouges avec le logo du syndicat : un serveur avec une cloche, étoilé bleu et rouge. Aux murs, des slogans publicitaires sont punaisés. « The Las Vegas Dream » est le plus courant. Une grande bannière proclame : « *No casino can take away our Las Vegas dream*[1]. »

La Culinary Workers Union est l'un des syndicats les plus puissants des États-Unis. Il représente les employés de l'industrie hôtelière, la première force économique de Las Vegas. Officiellement, environ cent mille personnes travaillent dans les hôtels, casinos et restaurants de la ville. Environ soixante mille d'entre elles sont syndiquées. Le syndicat s'est imposé aux propriétaires des grands casinos pour obtenir des salaires et des avantages sociaux largement supérieurs à la moyenne du pays. C'est en cela que les syndiqués, en très grande majorité des Latinos, vivent le « rêve de Las Vegas ».

C'est ce qu'explique Doug Caston, quarante-neuf ans. Il est impatient de voir Barack Obama, mais se montre bavard. Cheveux gris, petite moustache et lunettes sur le nez, Doug travaille au *room service* du Riviera Hotel. Natif de Vegas, ses deux parents étaient déjà dans l'hôtellerie. « Mais j'espère que mes enfants feront des études », tranche-t-il. Cet employé modèle depuis trente ans a toujours voté, « même aux primaires ». Mais 2008 a un goût particulier pour lui. « Cette année, nous sommes les troisièmes à voter. Tous les candidats nous courtisent ! » Alors, il fait du porte-à-porte, après ses journées de travail. Pour les démocrates. Et pour Obama en particulier. « Bush s'essuie les pieds sur les ménages qui gagnent moins de 200 000 dollars, dit-il. Obama, c'est l'un des nôtres, il a travaillé dans les rues de Chicago. Hillary ? Non, elle n'est pas l'une des nôtres. J'aime bien John Edwards aussi, il ferait un bon vice-président. »

---

1. « Aucun casino ne nous privera de notre rêve de Las Vegas. »

Pour Adolfo Zarade, quarante-quatre ans, qui attend fébrilement le début de l'événement, « Obama, c'est le changement ». Selon cet immigré mexicain, désormais citoyen américain, « Obama a fait du porte-à-porte comme nous. Et quand je le vois, je sens le pouvoir ».

Quelques jours auparavant, la direction nationale du syndicat a publiquement annoncé son soutien à Barack Obama, au plus grand désarroi de l'équipe de Hillary Clinton, qui, jour après jour, tentait de s'assurer ce soutien. Cette annonce est d'ailleurs une surprise, la communauté hispanique penchant plutôt clairement pour l'ancienne Première Dame. Mais si la Culinary Workers Union a vu autant d'efforts déployés pour s'attacher son soutien, c'est pour une raison bien précise : ce sont les employés des casinos, donc en grande majorité ses membres, qui organisent les caucus ! Car, pour la première fois, ces scrutins particuliers auront lieu dans l'enceinte même des casinos, lieux centraux pour permettre aux employés de voter malgré une longue journée de travail. Par conséquent, le sénateur de l'Illinois espère un bon bouche à oreille et un excellent report sur son nom.

Lorsqu'il entre dans la petite salle surchauffée depuis une heure par de la salsa, Barack Obama a déjà l'air épuisé. Il enlève sa veste et serre mécaniquement les mains des responsables qui l'accueillent. Sur le petit podium, qui place son crâne juste en dessous du faux plafond aux néons blancs agressifs, il sourit. Mais ses traits sont tirés par une longue journée et, déjà, de nombreux mois de campagne. La foule hurle : « *Yes, we can !*[1] », le slogan du candidat depuis sa victoire dans l'Iowa. Puis en espagnol : « *Si, se puede !* »

Le président du syndicat prend ensuite la parole : « Avant, j'étais républicain. » Les deux cents personnes le huent. « Mais plus maintenant ! », reprend-il en riant. Applaudissements et cris. « Nous sommes des minorités,

---

1. « Oui, nous pouvons ! »

reprend-il. Et nous avons la possibilité d'élire le prochain Président des États-Unis, que voici : Barack Obama ! » Ce dernier s'approche du micro. Après les remerciements d'usage, il attaque : « Je suis parmi des amis ici ! » Le candidat déploie tout son charme. La fatigue semble avoir disparu sitôt qu'il a pris la parole. En bon politicien, Obama s'adapte parfaitement au public qui lui fait face. Son message est ciblé. Sensiblement plus populiste que d'habitude. Il sait qu'il s'adresse à une frange plus à gauche, à la communauté hispanique.

Alors, il rappelle qu'il « vivait dans un petit appartement, avec un salaire de douze mille dollars par an », lorsqu'il était travailleur social à Chicago. À cet instant précis, Doug Caston a une moue d'admiration. « Regarde où tu es, maintenant ! » crie quelqu'un dans l'assistance, pour souligner l'ascension sociale du sénateur. Obama déroule son discours sur l'état de l'économie américaine. Il fustige les *fat cats* de Wall Street, qui s'en « mettent plein les poches » en même temps qu'ils licencient à tour de bras. « Ceux-là, ils ne financent pas ma campagne et ils ne seront pas dans ma Maison Blanche », martèle-t-il, le doigt en l'air. Le candidat rappelle qu'il lui est également arrivé de passer une nuit, à Chicago, pour soutenir des employés d'hôtels en grève, « dans le froid ». Et de conclure : « Je ne viens pas du monde de l'argent. J'ai reçu de l'amour, de l'éducation et de l'espoir. » Le succès est total. Obama quitte les lieux sur de la musique soul. Sa chemise est trempée. Il reprend l'avion dans quelques minutes.

Le jour J, les événements ne se passent pas totalement comme prévu dans le Nevada. La participation est certes massive, ce qui paraît de bon augure pour Barack Obama. S'il n'y a rien à signaler du côté de Reno, Carson City ou dans les zones rurales de l'État, l'atmosphère est en revanche tendue dans plusieurs casinos de Las Vegas. Selon des observateurs, plusieurs électeurs auraient été empêchés de voter en temps et en heure. À qui profitent ces drôles de tactiques ?

Hillary Clinton l'emporte avec 51 % des voix, contre 45 % à Barack Obama. John Edwards n'a pas décollé (4 %). Alors que cela semble être un semi-échec pour le sénateur de l'Illinois depuis qu'il a enregistré le soutien du principal syndicat de l'hôtellerie, le nombre de délégués à attribuer est quasiment divisé par deux entre Clinton et lui. Bref, l'opération mathématique n'est pas si mauvaise que cela, dans un État que l'on donnait quelques semaines plus tôt largement en faveur de la sénatrice de New York. Mais il subsiste tout de même un goût amer... David Plouffe, le directeur de campagne d'Obama, déclare à la presse que près de deux cents incidents ont été recensés. Selon lui, il s'agit de « tactiques de la campagne de Clinton », préméditées, afin d'empêcher les électeurs d'Obama – clairement identifiables, il est vrai, car membres du syndicat – de voter. Pire, David Plouffe affirme que ces « tactiques font partie de toute une semaine d'attaques fausses et créant la division parmi les participants en discréditant le système des caucus lui-même[1] ». Le camp d'Obama trouve un allié en la personne de David Bonior, directeur de campagne de John Edwards, qui, lui aussi, remercie ses électeurs « dans un contexte de grande difficulté et de bizarreries ». Plusieurs plaintes ont été déposées auprès de la justice du Nevada. Sans conséquence sur les résultats.

---

1. Lors de la dernière semaine de campagne dans l'Iowa, voyant que Barack Obama prenait le dessus, Hillary Clinton a commencé à critiquer le système des caucus : « Vous avez un temps limité pour faire entendre vos voix. Cela me trouble. Vous savez, dans le cas d'un caucus, les gens qui travaillent pendant ce laps de temps sont désavantagés. Les gens qui ne peuvent pas être dans l'État ou qui sont dans l'armée, comme le fils de cette femme qui sert dans l'armée de l'air et qui ne peut pas être présent. » Citée dans *Politio*, le 11 janvier 2008. Sur les quinze États qui ont organisé des caucus plutôt que des élections primaires, Hillary Clinton en a perdu treize et n'a remporté le Nouveau-Mexique qu'avec 1 % d'avance sur Barack Obama.

Le « facteur Oprah »

Il faut remonter à l'automne pour saisir l'enjeu que représente la communauté noire dans ces élections primaires. Et plus particulièrement au moment de l'entrée dans l'arène d'Oprah Winfrey. « Oprah » tout court, comme l'appelle la majorité des Américains, est connue de tous. Sa popularité serait équivalente à celle de Yannick Noah ou de Zinedine Zidane dans l'Hexagone. Oprah est une star de la télé américaine. Depuis une vingtaine d'années, elle s'est imposée sur ABC comme le rendez-vous incontournable de l'après-midi, moment de la journée où les femmes au foyer regardent la télévision. Cette Africaine-Américaine de cinquante-quatre ans est surtout une redoutable femme d'affaires : productrice de son émission et de ses dérivés, ainsi que de la comédie musicale *La Couleur pourpre*, elle a créé une « marque » Oprah et édite désormais son propre magazine. Selon le magazine *Forbes*, elle est la personnalité la plus riche et la plus puissante d'Amérique. À la tête d'une fortune estimée à 258 millions de dollars, Oprah, qui vit entre Chicago et son ranch de Santa Barbara, en Californie, serait une arme décisive dans la course présidentielle.

À partir de septembre 2007, elle s'engage ainsi dans la bataille aux côtés de Barack Obama. « Elle pourrait se révéler redoutable pour ratisser le vote des femmes », analyse CNN[1], alors que le candidat et la présentatrice font quelques meetings communs dans l'Iowa en décembre 2007. L'impact de son soutien est tel que l'équipe de Barack Obama doit changer au dernier moment de salle pour pouvoir accueillir davantage de spectateurs. À Columbia, en Caroline du Sud, c'est quasiment l'émeute.

Le 9 décembre, une salle de sport d'une capacité de dix mille places se révèle incapable de satisfaire la demande. Au dernier moment, la réunion est déplacée dans le stade de football de l'Université de Caroline du Sud ! En ce

---

1. CNN, 8 décembre 2007.

dimanche, plus de trente mille personnes viennent assister au discours de Barack Obama et à celui d'Oprah Winfrey. « Caroline du Sud, notre heure est venue », scande au micro un Obama offensif. « Ne vous laissez pas dire que nous devons attendre. Notre heure est venue », répète-t-il en référence à la campagne d'Hillary Clinton qui insinue que le sénateur « junior » peut bien attendre son tour.

Winfrey, quant à elle, insiste sur le message communautaire. Aujourd'hui, elle s'adresse en particulier aux Africains-Américains. « Docteur King a rêvé son rêve. Mais nous n'avons plus besoin de rêver, désormais. Nous pouvons voter pour que ce rêve devienne réalité[1] ! »

À ce stade de la course, quelques jours avant la victoire d'Obama dans l'Iowa, ce dernier bénéficie du soutien d'environ 55 % de la population noire de Caroline du Sud. Hillary Clinton, quant à elle, rassemblerait sur son nom près de 65 % des femmes de l'État, sachant que parmi les électeurs démocrates inscrits, 60 % sont des femmes. De son côté, John Edwards, pourtant ancien sénateur de la Caroline du Nord voisine, n'arrive pas à recoller aux deux favoris.

Quand Bill dérape

Retour à Columbia. Sur le Capitole, le drapeau des États confédérés a flotté jusqu'à l'année dernière. Un symbole raciste pour beaucoup, car représentant le Sud, terre d'esclavage durant la guerre de Sécession. À trois jours de l'élection primaire, Bill Clinton mouille sa chemise. Littéralement. Il s'adresse sans relâche à la communauté noire, de réunion en réunion. De gymnases en églises. Sa fille Chelsea l'accompagne parfois. Obama doit quasiment faire face à une candidature démultipliée. En ce samedi, l'ancien président accorde un entretien à la chaîne nationale ABC.

---

1. « Our moment is now, Obama declares », *Washington Post*, 9 décembre 2007.

Durant l'interview, il lâche cette phrase : « Jesse Jackson a remporté la Caroline du Sud en 1984 et 1988. Jesse Jackson a fait une bonne campagne. Et Barack Obama fait ici une bonne campagne. »

La phrase est immédiatement perçue comme une attaque dans le camp d'Obama. Pire, comme une bassesse. Jesse Jackson était un compagnon de route de Martin Luther King. Lui-même pasteur, il est une figure du parti démocrate et a porté haut les revendications des Africains-Américains lors de ses deux campagnes présidentielles. Mais au-delà des États du Sud, Jackson n'a jamais percé ; autrement dit, il n'a jamais obtenu l'investiture. L'analyse de Clinton est double : premièrement, Obama, même s'il gagne ici, est réduit à un rang d'outsider n'ayant pas beaucoup de probabilités d'être élu au plus haut rang ; deuxièmement, l'ancien Président semble confiner la candidature d'Obama à celle d'un Noir qui ne représenterait que les Noirs.

Les commentateurs les plus virulents taxent Clinton de racisme. Obama se contente de laisser parler ses conseillers et estime que Clinton vient de commettre un faux pas. De son côté, Hillary Clinton est bien embarrassée. Pressée de questions, dès le lendemain, sur la sortie de son mari et le rôle qu'il occupe au sein de son équipe, elle tente de se démarquer selon l'adage « lui c'est lui et moi c'est moi » : « Il pensait à quelque chose et il faudra que vous lui demandiez ce qu'il voulait dire », lâche-t-elle aux journalistes. « Nous sommes dans une campagne très "chaude" et les gens disent toutes sortes de choses, dit-elle à l'Associated Press. Je suis là tous les jours et j'essaie de rendre ma candidature positive. J'ai beaucoup de gens formidables autour de moi, y compris mon mari, qui tentent de convaincre à mon sujet[1] », poursuit-elle.

---

1. « Bill Clinton defends his attacks on Obama », *Los Angeles Times*, 24 janvier 2008.

Le jour J, les démocrates de Caroline du Sud se rendent aux urnes en masse. La victoire d'Obama se révèle un raz de marée. Il distance sa rivale de près de trente points : 55 % contre 27 %. Les Africains-Américains, y compris les femmes, ont clairement choisi leur camp. Est-ce l'effet Oprah ? Ou la désastreuse intervention de Bill Clinton ? Toujours est-il que Hillary accuse le coup. Désormais, elle mise tout sur le Super Tuesday du 5 février.

9

Face à la machine Clinton

Avant le Super Tuesday, le camp Clinton et le camp Obama font les comptes. Déjà, ils n'ont plus d'autres opposants, John Edwards ayant jeté l'éponge après la primaire de Caroline du Sud. Le sénateur de l'Illinois a remporté le caucus de l'Iowa et la primaire de Caroline ; la sénatrice de New York a pour sa part gagné dans le New Hampshire et le Nevada. Deux partout. Mais, en nombre de délégués, attribués proportionnellement, Barack Obama aborde le virage en tête : 76, contre 55 pour Clinton. La dynamique semble plus que jamais jouer en sa faveur.

Néanmoins, l'équipe de sa grande rivale affiche une certaine confiance. Depuis le début de cette course électorale, la stratégie de Mark Penn, le chef de campagne de Hillary Clinton, consiste à tout miser sur les grands États, ceux qui pourvoient le plus de délégués à la Convention. Et la plupart d'entre eux se prononcent lors du Super Tuesday, dans le cadre d'élections primaires ouvertes. Les spots publicitaires de campagne de la sénatrice inondent donc l'État de New York, dont elle est l'élue, du New Jersey et de Californie. C'est une stratégie finalement logique, bien que risquée, eu égard à la résistance de Barack Obama.

Chez ce dernier, le mot d'ordre reste immuable : se battre partout, même dans les petits États, afin d'y grappiller le plus de délégués possible, tout en limitant les dégâts dans les grands États, en réalisant d'assez bons scores, même en cas de défaite. *A priori*, la notoriété dont jouit Hillary Clinton lui octroie un avantage certain dans les grands États – à commencer par New York, où elle joue presque « à domicile », et où les pronostics la donnent gagnante, au même titre que dans les États voisins du Connecticut et du New Jersey. Sur la Côte ouest, elle bénéficie sur le terrain d'un bon maillage de contacts et de relais.

Le 5 février, les délégations du parti démocrate organisent leurs primaires ou leurs caucus dans vingt-deux États, sans compter les « Democrats abroad » (autrement dit, les votes des démocrates expatriés) et le territoire des îles Samoa. Au total, ce sont 1 681 délégués qui seront attribués ce jour-là. De quoi se rapprocher sérieusement des 2 025 nécessaires pour obtenir la nomination du parti en cas de nette victoire. Objectifs principaux : les 411 délégués californiens, les 232 de l'État de New York et les 153 de l'Illinois.

Dans les habits du favori

Le 31 janvier, à quelque cinq jours du Super Tuesday, Barack Obama choisit le Los Angeles Trade and Technical College pour tenir une réunion publique. Cet établissement d'enseignement technique se trouve au cœur du Downtown. Ses élèves sont en majorité hispaniques et africains-américains. Le petit podium a été installé au centre de la cour arborée. Il fait beau, en ce début de matinée. Les étudiants font la queue pour tenter d'assister à l'événement. Les professeurs sont assis sur le côté. Les journalistes, plus nombreux qu'un mois auparavant, sont installés en face. Obama avance au son des chansons qui rythment habituellement sa campagne. Il se rapproche du micro. Mais son attitude[1] paraît avoir sensiblement changé. L'homme a

---

1. Le *body language*, disent les Américains.

incontestablement gagné en confiance. On note moins d'hésitation dans ses gestes, ainsi qu'un regain de bonne humeur contagieuse et non feinte ; il donne désormais l'impression d'avoir endossé les habits du favori. La situation a évolué. Obama peut gagner, et il le sait.

Le soir même, les deux candidats s'affrontent en direct lors d'un débat sur la scène du Kodak Theater, sur Hollywood Boulevard, où les Oscars sont décernés chaque année. L'échange est organisé et retransmis par CNN. L'artère aux trottoirs étoilés a été coupée à la circulation. Les militants des deux camps rivalisent en entonnant chansons et slogans. Un homme d'une cinquantaine d'années, vêtu d'un pantalon de toile et d'une chemise impeccable, tient un panneau en carton clamant « Hillary Clinton n'a pas pu satisfaire son mari ; comment pourrait-elle satisfaire l'Amérique[1] ? » Fair-play !

Devant les portes de la salle de spectacle, les partisans d'Obama prennent vite l'avantage sur ceux de l'ex-First Lady. Ils chantent, dansent, tiennent à bout de bras ses panneaux de campagne. « C'est la première fois que je m'engage en politique, affirme Kristine Korver, trente-cinq ans, mère de famille et chef d'entreprise. On sait qu'Obama est authentique et il est extrêmement intelligent. » Kristine ne cache pas son admiration et son « émotion d'être là ce soir ». Valentina et Peter, étudiants, n'ont pas hésité à faire la route depuis San Diego, la métropole frontalière du Mexique. Pour eux, qui voteront pour la première fois de leur vie lors de la primaire de mardi, « Obama représente une formidable occasion pour tout le pays ».

En revanche, Melissa, institutrice vivant à Orange, au sud de Los Angeles, ne supporte pas le sénateur de l'Illinois. Pour elle, seule Hillary prévaut. « Obama ne dit rien sur rien. Il n'explique même pas comment il entend financer ses réformes. Je suis vraiment inquiète, je pense que les gens sont mal informés sur Obama. » Pour cette trentenaire,

---

1. Allusion à l'affaire Monica Lewinsky.

Hillary Clinton « est incroyablement intelligente et elle sait où elle va ». Et Melissa de terminer sur un pronostic : « De toute façon, c'est elle qui remportera la Californie. »

Sur le trottoir, on rencontre une petite manifestation demandant l'*impeachment*[1] de Bush et de Cheney. Quelques mètres plus loin, devant le Chinese Theater, Johnny Depp semble déprimé. Ou plutôt son sosie, déguisé en pirate des Caraïbes pour les touristes. « Le business est lent aujourd'hui, avec tout ce bazar, dit-il en montrant la circulation barrée. De toute manière, j'en ai rien à foutre de la politique ! Tous des marionnettes ! » Les pirates ont-ils le droit de vote ?

À l'intérieur du Kodak Theater, que des VIP, pour la plupart des stars de cinéma. Les visages inconnus sont ceux de gens influents. En un mot, c'est tout le « gratin » du parti démocrate qui assiste au duel.

Au cours des dernières semaines, les débats télévisés se sont multipliés. Organisés la plupart du temps par les chaînes d'information câblées, ils ont vu s'opposer tous les candidats présents au début de la campagne, à mesure du retrait des uns ou des autres, jusqu'à ce qu'il ne reste plus que les deux survivants actuels de ces longues primaires. Juste avant la Caroline du Sud, le ton était monté entre Clinton et Obama. Les piques se sont multipliées. Et le « super débat » prévu cette soirée semble parti pour ne pas échapper à la règle. Si, sur le fond, il existe peu de différences notables entre les sénateurs, le style tranche en revanche franchement. Les sondages donnent désormais Obama gagnant en Californie, tandis que Clinton fait la course en tête dans l'État de New York. Le Super Tuesday sera-t-il décisif ?

---

1. La destitution, telle que la Constitution américaine permet de l'envisager, sous certaines conditions.

Le soutien du clan Kennedy

Barack Obama n'est pas présent. Occupé à ratisser le Midwest et la Côte est, à quelques heures du grand jour. Mais l'équipe mise en place en ce dimanche après-midi au Pauley Pavilion, le stade de basket-ball de l'Université de Californie, à Los Angeles (UCLA), ressemble bien à une *dream team*. Malgré la concurrence du Superbowl[1], qui a lieu au même moment, ils sont venus nombreux, en ce dimanche pluvieux, pour soutenir Obama... même en son absence. Des étudiants, qui constituent l'une des principales sources de soutien de la campagne d'Obama, mais également des trentenaires, des quadragénaires, des retraités, des Latinos, des Noirs, des Blancs... C'est l'Amérique dans toute sa diversité qui semble ici représentée.

Vail Miller, vingt ans, étudiante en développement international, n'était pas informée de la tenue de ce meeting en faveur du candidat démocrate. « Obama ? Je l'aime ! s'exclame-t-elle spontanément. Hillary Clinton, je la détestais, avant d'apprendre à l'apprécier. Du coup, je ne sais pas encore pour qui je voterai », confesse cette Californienne. Jeff Listenbee, quarante-neuf ans, travaille dans l'administration. Pour cet African-Américain, voter Obama est une évidence. « C'est celui qui a la possibilité de réunifier notre pays, de tous nous rassembler. » Chastity Dotson, une actrice noire de trente ans, se dit quant à elle « très, très excitée. Je suis descendante d'esclaves, alors élire un Président comme Barack, ce serait tout simplement extraordinaire, même si lui-même ne descend pas d'esclaves. »

La première personne à intervenir s'avance timidement sur le podium. Ses longs cheveux raides cachent une partie de son visage. Elle lève légèrement les yeux pour regarder le public, mais n'ose presque pas profiter des applaudissements. Caroline Kennedy, assurément, n'est pas à l'aise quand il s'agit de s'exprimer publiquement.

---

1. La finale du championnat de football américain.

Mais son seul nom provoque une ovation parmi les cinq mille spectateurs.

D'une voix monocorde, Caroline Kennedy détaille les raisons de son soutien à Barack Obama. Pour la fille du Président assassiné, il est « le seul à faire renaître l'espoir » et le « premier à donner un tel élan depuis la présidence de [son] père ». Caroline Kennedy prend ainsi publiquement position à deux jours de l'échéance du Super Tuesday. Le 27, elle signait une tribune dans le *New York Times*, intitulée « Un Président comme mon père ». Elle est accompagnée dans son jugement par son oncle, Ted Kennedy, frère de JFK et sénateur du Massachusetts depuis les années 1960. « Avec le sénateur Obama, on tournera la page de la vieille politique, de la mauvaise représentation et de la distorsion. Avec Barack Obama, un nouveau leader a donné à l'Amérique une autre forme de campagne – une campagne qui n'est pas simplement axée sur lui-même, mais qui nous concerne et nous englobe tous ! », déclare le patriarche[1]. Mais le clan Kennedy, toujours influent au sein du parti démocrate, est divisé. Le fils de Bobby Kennedy a pour sa part choisi d'apporter son soutien à Hillary Clinton !

Après Caroline, deux autres femmes prennent la parole, avec talent et entrain : Oprah Winfrey et Michelle Obama. Lorsque la première s'avance, la foule lui fait un accueil triomphal. « Il y a Elvis, Michael Jackson… et Oprah ! », lance Chastity. La star de la télévision prend la parole pendant une vingtaine de minutes. « Je suis une femme libre, clame-t-elle. Je vote Obama, non parce que je suis noire, mais parce qu'il est brillant ! »

Elle est suivie de la possible future First Lady. Michelle, extrêmement à l'aise, relate sa vie, son parcours d'étudiante, sa carrière professionnelle. Elle enchaîne sur l'éducation des

---

1. Discours à l'American University de Washington, le 28 janvier 2008, en présence de Barack Obama. Le sénateur du Massachusetts fera également campagne pendant quelques semaines pour son homologue de l'Illinois.

enfants et « ce que Barack veut faire pour l'Amérique ». Le succès est total. Elle se retourne sous les applaudissements. Derrière la scène, on lui fait un signe. « J'ai une surprise pour vous », annonce-t-elle à la foule : « Mr Stevie Wonder ! » C'est du délire dans la salle, alors que le chanteur arrive et, s'accompagnant à l'harmonica, improvise un hymne de soutien au candidat démocrate.

« Ce n'est pas fini », reprend la maîtresse de cérémonie. Elle regarde derrière elle une nouvelle fois. « Oui, nous avons une deuxième surprise. Voici la Première Dame de Californie ! » C'est toute décoiffée et en jeans et bottes que Maria Schriver déboule sur le podium, à grandes enjambées. La femme du gouverneur Arnold Schwarzenegger, un républicain qui soutiendra dans quelques jours John McCain, décide de faire son *coming out*. « Cela n'a pas été facile de décider de venir, révèle-t-elle. J'étais avec ma fille à son cours d'équitation, lorsque je me suis dit que je devais absolument venir ici pour soutenir publiquement Barack Obama. » Acclamations. Maria Schriver, avant que son mari n'entre en politique, était une journaliste de télévision respectée. Surtout, elle est vue aujourd'hui comme une nouvelle membre de la famille Kennedy soutenant le clan Obama. Sa mère, Eunice, n'était autre que la sœur du défunt Président.

Au-delà de la famille elle-même, un ancien proche du Président Kennedy a pris la plume dès juillet 2007. Ted Sorensen, dans une tribune, a écrit qu'« Obama ravive le souvenir de JFK[1] ». Sorensen était l'un des plus proches conseillers du Président Kennedy, et le coauteur de la plupart de ses discours. Âgé de quatre-vingts ans, il prend donc très tôt position pour le « jeune Obama » face à Hillary Clinton. Dans son article, il établit de nombreux parallèles entre John Kennedy et Barack Obama : la jeunesse, certes, mais aussi la volonté d'en finir avec le cynisme en politique et, surtout, la volonté de faire campagne positivement – l'un sur le thème du courage, l'autre sur celui de l'espoir.

---

1. « Obama recalls memories of JFK », *The New Republic*, 21 juillet 2007.

« Les discours de Kennedy, début 1960, et même avant, comme ceux d'Obama début 2007, n'étaient pas remarqués pour leurs projets législatifs en cinq points, écrit-il. Ils se sont plutôt concentrés sur plusieurs thèmes généraux : l'espoir, une détermination à réussir malgré les circonstances, la non-satisfaction du *statu quo* et la confiance dans le jugement du peuple américain. » En politique étrangère, domaine d'expertise de Ted Sorensen, « les deux ont mis l'accent sur la démocratie multilatérale, la force nationale en garante de la paix et le besoin de restaurer la position globale de l'Amérique, son autorité morale et son leadership. Les deux ont prévenu des dangers de la guerre ».

Le soutien des Kennedy est un changement majeur au sein du parti démocrate. Un basculement, des Clinton vers Obama. Bill et Hillary sont, de fait, depuis le début des années 1990, la puissance dominante. Mais l'appui des héritiers de « l'esprit JFK », famille encore plus influente car historique, leur échappe désormais. Une page est-elle en train de se tourner ?

Un jour d'élection en Californie

L'hiver en Californie du Sud ressemble à bien des étés ailleurs dans le monde. Ce mardi 5 février n'échappe pas à la règle. Les longs palmiers de Los Angeles sont caressés par une brise nonchalante. En milieu de matinée, comme chaque jour, les rues sont plutôt calmes : peu de piétons, peu de véhicules. Les Californiens travaillent. Contrairement à la France, les États-Unis organisent généralement leurs élections le mardi. Les gens votent en accompagnant leurs enfants à l'école ou au retour du bureau. Du moins, quand ils votent[1]...

---

1. Les taux de participation aux précédentes élections présidentielles, au cours desquelles l'abstention est généralement la moins forte, étaient de 52 % en 1980, 50 % en 1988, 51 % en 2000 et 55 % en 2004.

Aujourd'hui, ce sont les primaires du Super Tuesday. La Californie, l'État qui offre le plus de délégués, étant le plus peuplé, a été très courtisée par les principaux candidats encore en lice : Hillary Clinton et Barack Obama chez les démocrates ; John McCain, Mitt Romney et Mike Huckabee chez les républicains. Bien que leur gouverneur soit actuellement un républicain (Arnold Schwarzenegger), les Californiens sont assez largement progressistes, voire libéraux. Depuis 1992, ils ont toujours voté pour le candidat démocrate à la Maison Blanche et avaient accordé 54 % des suffrages à John Kerry en 2004.

Direction Beverly Hills. Cette commune est nichée au cœur de la tentaculaire agglomération. La coupole années 1930 de son hôtel de ville se voit de loin sur Santa Monica Boulevard, les derniers kilomètres de la fameuse Route 66. Rodeo Drive et ses magasins de luxe offrent toujours ses *pretty women* et Bedford Drive son « village de psys ». Au-delà du Santa Monica Boulevard et avant de croiser Sunset Boulevard, la zone résidentielle ne révèle que de grosses villas à l'architecture disparate. Ici, un manoir d'inspiration romaine ; là, une bâtisse aux colombages normands... Partout, les pelouses sont tondues et les massifs de fleurs bien entretenus. À l'arrière de ces maisons de millionnaires, l'on aperçoit toujours de belles voitures, et bien souvent des piscines. L'atmosphère est paisible. Le chant des oiseaux n'est interrompu que par de grosses cylindrées qui redémarrent aux stops placés à chaque carrefour. Les stars de cinéma, quant à elles, squattent plutôt les hauteurs de Bel Air ou de Hollywood, à quelques encablures de là.

Sur Hillcrest Road, les voitures garées sont un peu plus nombreuses. C'est dans le garage d'un particulier que ce bureau de vote a été installé. Au centre, les assesseurs accueillent les électeurs. À droite, six isoloirs sont séparés en trois catégories : trois pour les électeurs démocrates, deux pour les républicains et un pour les indépendants. Il n'y a pas grand monde. Tout juste deux personnes. Mrs Bowen, à plus de soixante-dix ans, préside à la bonne tenue du scrutin. Cela fait plusieurs décennies qu'elle tient ce rôle. « Il y a tout de même sensiblement plus d'électeurs cette fois-ci », confie-t-elle.

Sharon, une trentenaire venue avec son fils de cinq mois, dit voter « à toutes les élections. C'est important, plus particulièrement cette année. Je vote pour Barack Obama. Il est le seul à même de changer la politique catastrophique menée depuis huit ans », proclame cette démocrate convaincue. Pourquoi pas Clinton ? « Je la respecte, mais après un Bush, un Clinton, un Bush, je ne veux pas d'une autre Clinton à la Maison Blanche. Il faut avancer. »

Seize heures. Autre lieu, autre ambiance. À tout juste une demi-heure de voiture, l'intersection entre Temple Avenue et Rosemont Street n'a rien à voir avec le précédent décor luxueux. Alors que le sigle Hollywood peut toujours se voir entre les câbles électriques et les immeubles, nous sommes près de Downtown, le centre historique de Los Angeles. Le quartier est essentiellement composé de Salvadoriens et de Philippins.

C'est l'heure de la sortie des classes. Dans les fameux bus scolaires jaunes, les enfants regardent le paysage d'un air blasé. Un drapeau américain est étendu sur la balustrade de la salle polyvalente. À l'intérieur, les responsables du bureau de vote sont tous asiatiques, mais parlent espagnol aux électeurs majoritairement latinos.

Jojo, la soixantaine, est philippin. Il vote Hillary Clinton. « Obama, je ne le connais pas, dit-il. Clinton, c'est la démocrate. J'aimais bien Bill Clinton. » Kevin et Michelle, Africains-Américains de quarante et trente-trois ans, accusent Hillary Clinton de « flip flopping », autrement dit, de changer d'avis tout le temps, de ne pas être fiable. « Pour nous, c'est Obama, c'est clair. Il a un bilan beaucoup plus net. Et c'est le seul à pouvoir nous sortir de ce trou », clament-ils en évoquant la guerre en Irak. Avant de lancer, en partant : « Honnêtement, vous, les Européens, vous vous y intéressez, à cette élection ? »

Une drôle de soirée électorale

La nuit s'annonce longue. Alors que les premiers bureaux de vote de la Côte est ont fermé leurs portes, on continue à voter en Californie[1]. Les chaînes de télévision sont sur le pied de guerre. Les journalistes politiques des quatre grands réseaux hertziens nationaux, NBC, CBS, ABC et Fox, sont à l'antenne. Les chaînes d'information continue, CNN, Fox News et MSNBC, font quant à elles du non-stop depuis la fin de l'après-midi. Elles ont des envoyés spéciaux dans tous les États clés des vingt-deux qui se prononcent ce soir : New York, Illinois, Californie, etc. Fox, fortement conservatrice, met l'accent sur la compétition entre républicains. CNN est fascinée par le duel Clinton-Obama. Toutes ont leurs experts, leurs analystes, leurs spécialistes de la carte électorale. Sur CNN, John King manie une carte géante à écran tactile, État par État, comté par comté.

Les résultats de ce Super Tuesday permettent de tirer plusieurs leçons. D'abord, Hillary Clinton l'emporte dans les grands États. Sa double victoire dans son territoire new-yorkais (57 % contre 40 % à Obama) et son voisin du New Jersey (54/44 %) ne constitue pas véritablement une surprise. Au contraire de celle obtenue en Californie (51/43 %), où les sondages la donnait au coude à coude avec son adversaire. La sénatrice s'impose également dans le Tennessee, l'Oklahoma, le Massachusetts (patrie des Kennedy), l'Arkansas (où son mari a été gouverneur avant d'être Président) et l'Arizona.

Barack Obama gagne dans de très nombreux États de petite taille, avec moins de délégués à la clé, mais avec une très grande marge. C'est le cas dans le Dakota du Nord (61/37 %), le Minnesota (66/32 %), le Kansas (74/26 %),

---

1. Il y a quatre fuseaux horaires aux États-Unis, donc trois heures de décalage horaire. Quand il est 20 h 00 à New York, il est 17 heures à Los Angeles.

l'Idaho (80/17 %), puis la Géorgie, l'Utah, le Delaware, le Connecticut, l'Alaska et l'Alabama. Il gagne même le scrutin organisé chez les démocrates expatriés (deux tiers des voix contre un tiers à Hillary Clinton). Surtout, Barack Obama l'emporte largement dans son Illinois (65/33 %). Mais la plus belle opération de la soirée consiste en sa victoire dans le Colorado, un État clé (avec 67 % des voix) et dans le « match nul » dans le Missouri (49-48 %), lui aussi un État pivot.

Ainsi, la victoire de Hillary Clinton dans les États qui se révèlent de gros pourvoyeurs de délégués est largement contrariée. À New York, dans le New Jersey ou en Califor-nie, Barack Obama a plutôt bien résisté. Et il a réalisé, en revanche, de très gros scores là où il gagne. Bref, le scrutin étant à la proportionnelle, lorsque Clinton gagne, son avance n'est pas suffisante pour faire la différence. Pire pour l'ex-First Lady, elle se fait piétiner dans les plus petits États, montrant un fort rejet de sa personnalité et/ou une forte adhésion à celle de Barack Obama. Au final, Obama s'impose dans quatorze États, Clinton dans huit. Au nombre de délégués, les deux démocrates se neutralisent, Obama gardant une légère avance. Match nul, donc, mais avec un vrai vainqueur psychologique : Barack Obama.

« Sans aucun vainqueur, le combat continue », titre le *Los Angeles Times* le lendemain. « Il n'y a pas si longtemps, les stratèges politiques voyaient le Super Tuesday comme un jour qui couronnerait les candidats républicains et démo-crates, comme une extravagante élection dans vingt-quatre États qui tireraient proprement une conclusion à une cam-pagne primaire bien longue. Ils avaient tort. Au lieu de désigner les nominés (dans chaque parti), le vote de mardi a révélé que le combat continuerait dans les deux partis[1]. » Pour le grand quotidien de la Côte ouest, « Clinton et Obama ont consolidé leur base, Clinton exerçant une domination chez les Latinos et Obama progressant parmi

---

1. En effet, dans les primaires du parti républicain, John McCain se détache, mais n'emporte pas la décision.

l'électorat blanc. En fait, Obama a prouvé, comme il l'a fait le mois dernier dans l'Iowa, que de nombreux Blancs voteront pour un candidat noir. »

Les bons résultats de Barack Obama dans des régions aussi différentes que le Nord (Dakota du Nord, Minnesota), le Sud (Alabama) ou les États blancs et protestants du Nord-Est (Delaware, Connecticut) s'expliquent par de nombreux facteurs socio-économiques, voire ethniques. Mais son véritable succès repose sur l'organisation de sa campagne. En résumé, Obama a fait campagne partout, alors que sa rivale se contentait des grands États. Dès le début du mois de décembre 2007, l'équipe de « Barack Obama for America » avait ouvert dix-neuf bureaux dans treize des États qui votaient lors du Super Tuesday, jusqu'en Alaska. À ce moment précis de la campagne, deux mois avant le 5 février, Hillary Clinton menait avec plus de vingt points d'avance sur Obama dans les sondages effectués en Californie, voire de trente points dans le New Jersey[1].

Dans le camp d'Hillary Clinton, le réveil est difficile au lendemain du Super Tuesday. Le compte n'y est pas en nombre de délégués glanés. Surtout, Mark Penn, le stratège en chef, n'avait pas prévu de se retrouver au coude à coude avec Barack Obama. Selon ses calculs, Hillary Clinton devait emporter la décision lors du 5 février, ou du moins prendre une avance significative sur son rival de l'Illinois. Pire, l'état financier de la campagne de Hillary Clinton s'est largement dégradé. Le 6 février, la sénatrice de New York est obligée d'annoncer publiquement qu'elle a dû puiser 5 millions de dollars dans les réserves personnelles de son couple pour les injecter dans son budget de campagne. Pendant le mois de janvier, elle n'a levé « que » 14 millions de dollars, tandis qu'Obama obtenait plus du double de contributions[2] (32 millions). L'impression qu'elle

1. Blog « The Fix », « Obama invests in February 5th strategy », *Washington Post*, 28 novembre 2007.
2. « Clinton team tries to fill money gap », *Los Angeles Times*, 7 février 2008.

donne de perdre de plus en plus de terrain sur Barack Obama pourra-t-elle être contredite ?

Dix États d'affilée

Dans les jours qui suivent, Barack Obama maintient au contraire le rythme et accentue même son avance. Le 9 février, le sénateur de l'Illinois remporte les caucus dans l'État de Washington (68 % des voix), les primaires dans le territoire américain des îles Vierges (90 %), les primaires du Nebraska et de Louisiane (avec respectivement 68 % et 57 % des voix). Le lendemain, il s'impose dans la consultation organisée dans le Maine, petit État de Nouvelle-Angleterre. S'il a perdu le Massachusetts le 5 février, il prend sa revanche dans la même région, avec près de vingt points d'avance sur Hillary Clinton (59/40 %).

Au lendemain de cette série de victoires, un nouveau sondage fait l'effet d'une bombe. Pour la première fois, une enquête d'opinion effectuée au niveau national teste la préférence des Américains au sujet du prochain Président[1]. Non seulement Barack Obama devancerait Hillary Clinton comme candidat du parti démocrate (47/44 %), mais, en plus, il battrait également le candidat républicain. Face à John McCain, qui domine à ce moment-là la course au sein du Grand Old Party, le sénateur de l'Illinois l'emporterait à 50 contre 46 %, tandis que le sénateur de l'Arizona battrait Hillary Clinton 49 contre 48 % !

Le calendrier électoral s'enchaîne désormais très vite. Chaque caucus, chaque élection primaire compte. Le moindre délégué peut, au final, faire la différence. Hillary Clinton et Barack Obama se concentrent désormais sur les primaires du Potomac. Ce fleuve arrose en effet le district de Columbia, qui abrite la capitale fédérale Washington, la

---

1. Sondage *USA Today*-Gallup, 12 février 2008, sur un échantillon de 1 016 personnes.

Virginie et le Maryland. Les trois territoires se prononcent en ce mardi 12 février et pourvoient un nombre intéressant de délégués.

Clinton et son équipe insistent, depuis le Super Tuesday, sur la difficulté de Barack Obama à l'emporter dans les États où la population blanche est largement majoritaire. La stratégie de Mark Penn saute aux yeux : cantonner Barack Obama à une candidature « noire », à la représentation d'une « minorité ». Car si Obama a en effet peiné à rassembler sur son nom le vote blanc dans des États comme le Kentucky ou la Caroline du Sud, il s'est en revanche plus que rattrapé avec ses victoires dans les États de l'Iowa, du Maine, ou encore du Connecticut.

Son succès dans les trois primaires du Potomac est interprété comme un démenti cinglant aux insinuations de l'équipe Clinton. D'autant plus qu'il s'agit là d'une véritable déroute pour la sénatrice de New York, la Côte est étant réputée être son bastion. Obama l'emporte avec 75 % des voix dans la capitale fédérale, 61 % dans le Maryland et 64 % en Virginie ! « Aujourd'hui, le changement que nous recherchons a balayé la baie de Chesapeake et le fleuve Potomac », avance Barack Obama lors de son discours de victoire prononcé dans le Wisconsin, où il fait campagne. « À cet instant, les cyniques ne peuvent plus dire que notre espoir est faux », conclut-il, revanchard. Au même moment, au Texas, Hillary Clinton prononce un discours de campagne devant ses supporters, se gardant bien de livrer le moindre commentaire sur sa défaite...

Cette soirée marque une étape importante dans la campagne de Barack Obama. Lors de ces trois scrutins, il démontre pour la première fois qu'il peut gagner dans toutes les catégories de la population : les hommes, les femmes, les Noirs, les Blancs, les jeunes et les seniors. Partout, il devance largement Hillary Clinton. « Nous avons fait encore mieux que ce que nous espérions, juge David Axelrod, le stratège d'Obama. Nous avons gagné dans tous les groupes démographiques et nous avons apporté beaucoup de réponses aux doutes qui existaient. C'est une grande journée[1] ! »

Pour le sénateur de l'Illinois, la série se poursuit, avec de larges victoires dans le Wisconsin (58/41 %) et au cours des caucus de Hawaii, son État natal, où sa sœur Maya, qui y vit, a mené une campagne efficace (76 % des voix). Au final, Barack Obama remporte les dix élections qui ont eu lieu après le Super Tuesday. Il boucle ainsi le mois de février invaincu et prend une avance substantielle dans le nombre de délégués : 1 178 contre 1 024[2]. Mais deux gros États peuvent encore faire basculer la décision, d'un côté comme de l'autre. Le 4 mars, en plus du Vermont et de Rhode Island, l'Ohio et le Texas votent. Les électeurs démocrates de tout le pays ont les yeux rivés sur ces deux États.

L'occasion manquée de Hillary Clinton

La fin du mois de février et le début du mois de mars se révèlent bien difficiles pour Hillary Clinton. La bonne opération effectuée par son concurrent lors du Super Tuesday, suivie de ses dix victoires consécutives, affaiblit la candidature de la sénatrice de New York. Distancée par Barack Obama en nombre de délégués, elle doit désormais réaliser des scores supérieurs à 57 % lors des dernières élections primaires si elle veut espérer le dépasser. Objectif ardu, quoique pas impossible. David Plouffe, le directeur de campagne du sénateur, se frotte les mains. Le 20 février, au cours d'une conversation téléphonique ouverte à plusieurs journalistes, il déclare que la « seule façon d'accumuler les délégués est de gagner avec de grands écarts. La seule

---

1. « Winning streak extends to Disctrict, Maryland and Virginia », *Washington Post*, 13 février 2008.
2. Selon l'Associated Press, 20 février 2008.

façon pour Clinton de gagner, c'est de remporter des États comme l'Ohio et le Texas en faisant 65 %-35 %. »

La candidate doit donc creuser un écart plus que conséquent dans ces deux États clés. En parallèle, elle tente de convaincre les super-délégués – qui ont la possibilité d'aller d'un camp à l'autre – de lui maintenir leur soutien. Or, depuis la dizaine d'États remportés par Obama, ces derniers passent volontiers du camp de Clinton à celui d'Obama. « L'équipe de Clinton me téléphone régulièrement », admet ce super-délégué de Californie, qui préfère conserver l'anonymat et qui, en ce début du mois de mars, n'a pas encore choisi son candidat. « Récemment, c'est même Bill Clinton en personne qui m'a passé un coup de fil. Vous savez, c'est difficile de résister à la pression d'un ancien Président, poursuit-il. Mais je suis également en contact avec l'entourage immédiat de Barack Obama. »

Avant les primaires du 4 mars, les deux sénateurs se retrouvent pour deux débats télévisés. Les dix-neuvième et vingtième débats impliquant les candidats démocrates depuis dix mois ! L'un a lieu au Texas, le 21 février, l'autre à Cleveland, dans l'Ohio, le 26. Au cours de cette dernière opposition[1], le ton est extrêmement vif. Manifestement, les deux candidats ont perdu la considération qu'ils avaient l'un pour l'autre. Les deux équipes en sont venues à se détester et à pousser leurs poulains à l'affrontement. Sujets de discorde : la réforme du système de santé, la guerre en Irak et les conséquences de la mondialisation. « Nous devrions avoir un bon débat, utiliser des informations véritables et non fausses et trompeuses, surtout sur quelque chose d'aussi important que la possibilité de fournir, ou non, une couverture santé abordable à tous », lance Hillary Clinton. Obama ne se démonte pas et contre-attaque : « La sénatrice Clinton a constamment développé des attaques négatives sur nous, par e-mails, appels téléphoniques enregistrés, prospectus, spots télévisés et radio, et nous ne nous

---

1. Sur la chaîne MSNBC, 26 février 2008.

sommes pas plaints, parce que j'ai compris que c'était la nature de cette campagne[1]. »

Lors d'un autre échange, Hillary Clinton déplore être la candidate toujours désignée pour répondre à la première question lors des débats télévisés, offrant ainsi la possibilité à Barack Obama de rebondir le premier[2]. Elle fait également référence à un sketch de l'émission satirique de NBC, « Saturday Night Live », où un acteur grimé en Barack Obama était choyé par des pseudo-journalistes. « Peut-être devrions-nous demander à Barack s'il est à l'aise et s'il a besoin d'un coussin », lâche-t-elle carrément durant le débat.

L'enjeu de l'Ohio se révèle crucial. État du Midwest, l'Ohio vote « violet » ; moitié bleu (la couleur qui symbolise traditionnellement le parti démocrate) et moitié rouge (le parti républicain). Lors de la dernière élection présidentielle, il a également été l'objet de toutes les convoitises et la victime de nombreuses irrégularités[3]. L'Ohio représente aussi une Amérique dépassée. Celle du siècle précédent. Cleveland, Cincinatti, sont des villes ravagées par la désindustrialisation. La criminalité y est élevée, le taux de chômage supérieur à la moyenne nationale. Ainsi, Hillary Clinton et Barack Obama s'adressent-ils à la classe moyenne ouvrière, à majorité blanche.

L'ex-First Lady, soutenue par son mari, change sensiblement son positionnement. Elle devient en quelques semaines plus populiste. Elle se fait le porte-parole de cette classe ouvrière, insinuant que Barack Obama ne parle qu'à l'élite, à laquelle il appartient. De son côté, le sénateur de l'Illinois dépense sans compter. Bénéficiant d'un trésor

---

1. « In a crucial State, a contentious debate », *Washington Post*, 27 février 2008.
2. Un blogueur a fait le décompte : l'accusation de Hillary Clinton est fausse.
3. Ces irrégularités ont fait l'objet d'auditions et d'un rapport officiel d'un comité du Congrès, « What went wrong in Ohio, the Conyers report on the 2004 presidential election », ainsi que de plusieurs livres et articles aux États-Unis.

de guerre toujours plus impressionnant au fil des mois[1], il achète de nombreux espaces télévisuels afin de diffuser ses spots de campagne, notamment dans l'Ohio et le Texas. Dans le premier, Barack Obama a dépensé cinq millions de dollars, contre trois à son adversaire[2]. Mais l'argent est également dépensé autrement. Après le Super Tuesday, l'équipe de campagne, sur le terrain dans les grands États, s'est totalement redéployée au Texas. Près de deux cents personnes rétribuées ont ainsi pu ratisser le Lone Star State, de Houston à San Antonio, d'Austin à Dallas, des plaines vallonnées au golfe du Mexique.

Le mardi 4 mars voit-il enfin un candidat se démarquer, ainsi que l'affirment la plupart des commentateurs ? Comme précédemment, la réponse est non : Hillary Clinton l'emporte dans l'Ohio avec dix points d'avance (54/44 %), mais ne gagne que neuf délégués d'avance. La sénatrice est également victorieuse dans l'élection primaire du Texas, mais l'écart n'est pas assez significatif (51/47 %). Pire, le parti démocrate du grand État du Sud avait également organisé un caucus, remporté par Barack Obama. Au final, ce dernier empoche 99 délégués, contre 94 en faveur de sa rivale[3] !

La nette victoire dont avait besoin Hillary Clinton n'est donc pas au rendez-vous. Pire encore : pour la première fois, certaines voix au sein du parti lui demandent, discrètement, d'abandonner. En effet, depuis le départ, Barack Obama fait la course en tête. Mais d'une centaine de délégués seulement, consultation après consultation. La sénatrice de New York est quant à elle convaincue que la candidature d'Obama recèle des faiblesses, notamment

---

1. Au cours de cet hiver-printemps 2008, Barack Obama lève, chaque mois, entre 35 et 40 millions de dollars. Ces chiffres sont rendus publics.
2. « Obama spends heavily to seek knockout Blow », *New York Times*, 2 mars 2008.
3. Les états-majors de campagne des deux candidats ont estimé ce double vote « trop compliqué ». Ainsi, l'électeur texan pouvait voter lors de la primaire, avant de se rendre le soir même au caucus.

auprès de l'électorat blanc populaire. Son score dans l'Ohio en serait selon elle la preuve. Bill Clinton était bien surnommé le « Come-back Kid » ; pourquoi ne serait-elle pas à son tour la « Come-back Lady » ?

Un encombrant pasteur

Après le Texas et l'Ohio[1], le temps joue désormais en faveur de Barack Obama. Il ne reste guère à Hillary Clinton que la Pennsylvanie et ses 188 délégués le 22 avril, la Caroline du Nord (134) et l'Indiana (85) le 6 mai si elle entend renverser la vapeur. Mais plus le temps passe, plus elle doit gagner gros. De son côté, Barack Obama doit se contenter d'éviter une faute.

Le camp du sénateur de l'Illinois se renforce. Ainsi, le 21 mars, il reçoit le soutien public de Bill Richardson, gouverneur du Nouveau-Mexique. Ce dernier était également candidat à la présidence au début des primaires, mais, faute de résultats probants, il avait dû suspendre sa campagne dès le 10 janvier. Richardson est surtout un poids lourd du parti démocrate. Cet homme d'origine hispanique a une voix qui porte, du fait de son expérience. Il a en effet été secrétaire à l'Énergie et ambassadeur américain auprès des Nations unies. Diplomate reconnu, il a effectué de nombreuses missions secrètes au Moyen-Orient notamment, discutant directement avec les leaders de cette région. Une précision s'impose cependant : cette expérience fut acquise sous la présidence de Bill Clinton. En d'autres termes, Bill Richardson doit tout au couple Clinton.

« J'ai parlé avec la sénatrice Clinton, hier soir. Autant vous l'avouer : nous avons eu de meilleures conversations par le passé. » C'est par ces mots empreints d'un certain humour que Richardson a révélé à la presse qu'il avait

---

1. Le même jour, Clinton l'emporte en Rhode Island et Obama dans le Vermont.

choisi le camp d'Obama[1]. Le lendemain, il doit se présenter aux côtés de Barack Obama lors d'un meeting à Portland, dans l'Oregon. « C'était cordial, mais chaud », a poursuivi Bill Richardson au sujet de sa conversation téléphonique avec celle qui était son amie. « C'est un acte de trahison », lâche de son côté James Carville, un proche de l'ancien couple présidentiel, ex-manager de la campagne victorieuse de Bill en 1992 et conseiller actuel de son épouse. « Le soutien de Mr Richardson intervient juste après l'anniversaire du jour où Judas a trahi pour trente pièces d'argent. Je pense donc que le timing est approprié, voire ironique », a-t-il même lâché en pleines fêtes pascales.

Les semaines qui précèdent le scrutin en Pennsylvanie, présenté comme la dernière chance de Hillary Clinton, s'annoncent comme celles de tous les dangers pour Barack Obama. Pour la première fois, il trébuche. Ainsi, lors d'une séance privée de levée de fonds à San Francisco, il juge que les électeurs de Pennsylvanie sont « amers » au regard du contexte économique difficile qu'ils connaissent. Obama poursuit, ne sachant pas qu'il est filmé par un téléphone portable : « Ils se tournent vers les armes à feu et la religion ou deviennent antipathiques vis-à-vis des gens qui ne sont pas comme eux. »

La maladresse est immédiatement exploitée par Hillary Clinton. Les propos de Barack Obama « ne reflètent pas les valeurs et les croyances des Américains, tranche-t-elle. J'ai grandi dans une famille qui allait à l'église, une famille qui croyait qu'il était important d'exprimer sa foi. Les gens qui ont la foi ne vont pas vers la religion parce qu'ils sont amers. Les gens embrassent la foi non pas parce qu'ils sont matériellement pauvres, mais parce qu'ils sont spirituellement riches[2]. » Obama comprend l'erreur et, sans tout à fait

---

1. « First a tense talk with Clinton, then Richardson backs Obama », *New York Times*, 22 mars 2008.
2. « On the defensive, Obama calls his words ill-chosen », *New York Times*, 13 avril 2008.

s'excuser, tente de se reprendre quelques jours plus tard : « Je ne l'ai pas dit comme j'aurais dû le dire », se justifie-t-il, en insistant sur la dureté de la vie que connaissent bon nombre d'habitants de Pennsylvanie. Soit dans les villes qui ont mal vécu la fin de l'époque de l'industrie reine, soit dans les campagnes où, d'ailleurs, la chasse est une tradition.

Le deuxième écueil rencontré par la campagne de Barack Obama est bien plus sérieux et concerne la polémique autour de son pasteur, le révérend Jeremiah Wright. Fondateur de la Trinity United Church, à Chicago, c'est lui qui a marié Barack et Michelle et qui a baptisé leurs deux petites filles. Alors que circulent, sur le Net, des propos qui choquent une grande partie de l'Amérique, repris en boucle par les chaînes d'information du câble, Obama se retrouve embourbé dans une vive controverse, dont il tentera de sortir grandi[1].

Le 22 avril, Hillary Clinton remporte donc l'élection primaire de Pennsylvanie avec 55 % des voix. Le même scénario se répète : elle gagne, mais son avance se révèle insuffisante. Les appels à son retrait se multiplient, mais la sénatrice s'évertue à rester jusqu'au bout, croyant en ses chances, au risque de diviser davantage encore le parti démocrate. « En 1992, mon mari n'a obtenu la nomination qu'au mois de juin », rappelle-t-elle. Dans l'équipe du sénateur de l'Illinois, personne n'abonde en ce sens. On estime même que cette compétition a du bon, le nombre d'électeurs démocrates s'inscrivant sur les listes électorales devenant un record, État après État. Une bonne nouvelle pour la mobilisation en novembre contre le républicain John McCain.

L'imbroglio de la Floride et du Michigan

Janvier 2008. Les électeurs démocrates de l'Iowa et du New Hampshire viennent de se prononcer dans les deux

---

1. Voir chapitre 10.

premières consultations des primaires. Le 15, c'est au tour de ceux du Michigan, et le 29, à ceux de Floride. Au Nord comme au Sud, c'est Hillary Clinton qui gagne. 55 % des voix dans la région de Détroit et 50 % – contre 33 % pour Obama – dans celle de Miami. Toutefois, ces deux élections ne sont pas prises en compte par les instances nationales du parti. Motif : ces deux États n'ont pas été autorisés à avancer la date de la tenue de leur primaire[1]. Seuls l'Iowa, le New Hampshire, la Caroline du Sud et le Nevada ont obtenu le droit de voter avant le Super Tuesday du 5 février. Par conséquent, Barack Obama et les autres candidats ont retiré leurs noms des bulletins de vote dans le Michigan. Clinton, ayant refusé de le faire, se retrouve seule en lice. En Floride, frappée du même sort, l'ex-First Lady est même venue faire campagne à plusieurs reprises, ne ménageant pas non plus son budget de spots télévisés ! Obama, s'il ne s'est pas déplacé dans le « Sunshine State », a contre-attaqué à la télévision.

Pour Hillary Clinton, « il est inconcevable que deux États aussi importants dans l'élection générale ne puissent pas se prononcer[2] ». Elle appelle donc les cadres du parti à « faire asseoir » les délégués « élus ». D'autant plus qu'elle a gagné. Mais si personne ne se préoccupe de cet imbroglio au moment où d'autres États importants doivent voter, l'équipe de campagne de Hillary Clinton rappelle volontiers l'affaire lorsqu'elle voit la victoire lui échapper. Ainsi, le 4 mai, « le camp Clinton affirme qu'il utilisera l'option nucléaire », écrit le *Huffington Post,* un site web politique généralement bien informé. « Ce n'est pas un plan secret, confirme un communiqué d'un porte-parole de la sénatrice. Nous estimons que les voix de 2,5 millions de personnes doivent être respectées[3]. » « L'option nucléaire »

---

1. Cette décision remonte au 1er décembre 2007.
2. Le Michigan rapporte 55 délégués et la Floride, 93.
3. « Clinton camp says it will use the nuclear option », *Huffington Post,* 4 mai 2008.

envisagée par Clinton serait une forme de putsch. Elle compte sur la réunion du comité national du parti démocrate, qui se tient le 31 mai, pour convaincre ses membres que les délégués qu'elle a glanés dans le Michigan et en Floride doivent lui être officiellement attribués. De cette manière, elle dépasserait Barack Obama. Si elle a bon espoir d'accomplir son dessein, c'est qu'au moins la moitié des trente membres du comité se révèlent pro-Clinton. De son côté, Obama prône un partage des délégués pour moitié-moitié. Après tout, il a suivi les règles à la lettre en ne faisant pas campagne dans ces deux États. Au final, c'est cette solution qui est retenue par les caciques démocrates. *Fifty-fifty.* La « bombe » de Clinton n'a pas fonctionné.

Le 3 juin 2008 : date historique

La campagne se poursuit donc désormais sous d'autres latitudes. Entre le 3 mai et le 3 juin, les territoires de Guam et de Porto Rico et les États de Caroline du Nord, de l'Indiana, de la Virginie-Occidentale, de l'Oregon, du Kentucky, du Dakota du Sud et du Montana votent. Mais il s'agit bien d'une sorte de baroud d'honneur, le nombre total de délégués attribués n'étant pas très élevé. Au final, Barack Obama remporte trois de ces scrutins et Hillary Clinton cinq[1].

Au soir du 3 juin, à la fin de l'interminable processus des primaires dans les cinquante États de l'Union, Barack Obama peut enfin exulter. Le candidat démocrate à la Maison Blanche, c'est officiellement lui. Ce soir-là, il compte 2 118 délégués. Le seuil fatidique des 2 025 est dépassé. Dans un meeting organisé à Saint-Paul, dans le Minnesota, Obama monte sur la scène avec sa femme Michelle. Devant ses partisans, le sénateur de l'Illinois, vêtu

---

1. Guam étant partagé à 50/50.

d'un costume noir et d'une cravate bleu ciel sur une chemise blanche, se veut solennel. Sa joie semble contenue.
« Ce soir, nous marquons la fin d'un voyage historique
par le début d'un autre. Un périple qui apportera une
direction nouvelle et meilleure à l'Amérique, commence-
t-il. Grâce à vous, ce soir, je me tiens ici pour vous dire que
je serai le candidat du parti démocrate à la présidence des
États-Unis d'Amérique. » Le même soir, à New York, devant
ses partisans, Hillary Clinton appelle à ce que « les 18 millions d'électeurs qui ont voté pour moi soient respectés[1] ».
Elle prend toutefois officiellement acte de la victoire de son
adversaire et appelle à le soutenir, sans ambiguïté, face au
candidat républicain.

Ce soir, pour la première fois dans l'Histoire des États-
Unis, un Africain-Américain endosse les habits de candidat
à la Maison Blanche, au nom de l'un des deux grands
partis. Pour la première fois, un Noir a une véritable chance
de devenir Président de la première puissance mondiale.
Pour Obama, battre la « machine Clinton » n'était qu'un
échauffement. Rendez-vous à Denver, dans le Colorado, à
la fin du mois d'août, pour la grande convention du parti,
qui investira officiellement Barack Obama et qui marquera
le coup d'envoi de la vraie campagne, dans l'optique finale
de son duel avec John McCain.

Les leçons des primaires : Lynn Vavreck et John Emerson

Barack Obama a gagné le processus des primaires. Une
période longue de six mois, qui l'aura mené de l'Iowa au
Dakota du Sud. Même si, en réalité, cette période aura
couru sur une année entière, à compter de l'annonce de la
candidature des deux principaux candidats démocrates.
Après une cinquantaine d'élections, des milliers de petites

---

1. « Obama clinches nomination ; First Black candidate to lead a major
party ticket », *New York Times*, 4 juin 2008.

phrases et des dizaines de rebondissements, quels sont les événements qui ont fait basculer cette élection au profit du sénateur de l'Illinois ? Quels en ont été les moments clés ?

Tout est calme dans les couloirs du troisième étage de Bunche Hall, au cœur du campus de l'UCLA, en cette fin d'après-midi du mois de juin. Mais son petit bureau est allumé, la porte grande ouverte. Lynn Vavreck enseigne les sciences politiques. Spécialisée dans les campagnes présidentielles[1], elle a tapissé ses murs de unes du *Washington Post* relatant les grands moments de la politique américaine de ces dernières décennies : la démission de Richard Nixon, la guerre du Golfe annoncée par Bush, la victoire de Bill Clinton... Lorsqu'on l'interroge, plus qu'un professeur de sciences politiques, c'est une véritable passionnée qui s'exprime.

« Cette campagne est extraordinaire, lance-t-elle d'emblée[2]. C'est la première fois depuis la Seconde Guerre mondiale qu'il n'y a pas de candidat sortant (c'est-à-dire de Président ou de vice-Président). Et c'est historique de voir de notre vivant un Africain-Américain ou une femme en très bonne position de l'emporter. » Pour elle, Barack Obama a dominé grâce à deux facteurs essentiels : « Sa capacité à lever des fonds et son organisation sur Internet. »

Selon Lynn Vavreck, il y eut un tournant au tout début de la campagne, avant même le caucus de l'Iowa : « C'était en décembre. L'un des conseillers de Hillary Clinton avait mentionné publiquement le fait qu'Obama ait pris de la drogue dans sa jeunesse[3]. » L'individu en question a d'ailleurs été poussé à la démission après le tollé soulevé par sa déclaration. « C'était l'indication que l'équipe de Clinton était prête à tout pour détruire Barack Obama.

---

1. Lynn Vavreck, *An economic theory of campaigns. Context and constraints in American presidential elections 1952-2000*, University of Princeton Press, à paraître au premier trimestre 2009.
2. Entretien avec l'auteur, 23 juin 2008.
3. Voir chapitre 3.

Autrement dit, le signal que Hillary Clinton considérait Obama comme une réelle menace pour elle. »

Plus généralement, Lynn Vavreck estime qu'il y avait un problème avec la candidature même de Hillary Clinton. « C'était une candidate à 50 % », glisse-t-elle dans un sourire. Explication : « Elle n'a jamais été la candidate qui emportait tout sur son passage, elle n'a jamais fait de gros scores. Par ailleurs, si son taux de notoriété était certes très élevé, il y avait en revanche toujours dans les sondages de popularité environ 50 % des gens qui ne l'aimaient pas. »

Bill Clinton a-t-il eu un rôle néfaste dans la campagne de sa femme ? « J'avoue que son positionnement m'a laissée perplexe, affirme-t-elle. Il a été utilisé comme un chien de garde. Je n'ai pas réellement compris ce qu'il voulait faire pour sa femme. Sa sortie sur Jesse Jackson, avant la primaire de Caroline du Sud, était une preuve de ce dysfonctionnement au sein de la campagne. »

John Emerson partage, en partie du moins, cette analyse de la campagne. Il reçoit dans la grande salle de réunion de la banque dans laquelle il travaille, au 57e étage d'un gratte-ciel de Los Angeles. La vue est imprenable. Cet ami intime du couple Clinton, qui a coprésidé son comité de financement en Californie, a depuis été appelé par l'entourage de Barack Obama, qu'il connaît personnellement par ailleurs[1]. Il a donc rejoint l'organisation de sa campagne « avec plaisir ». Il indique que les conseillers d'Obama « ont été formidables, très respectueux des gens qui travaillaient avec Clinton. Ils m'ont dit qu'ils me voulaient à bord, qu'il fallait rassembler le parti. J'ai dit oui tout de suite ». Hillary Clinton elle-même « a été très claire lors d'une récente conversation téléphonique avec quelques amis, poursuit-il. Le message était : tout le monde avec Barack pour battre McCain, sans états d'âme ».

Pendant ces primaires, John Emerson était aux premières loges. « La sortie de Bill Clinton en Caroline du Sud

---

1. Voir chapitre 6.

est à mettre sur le compte de l'énervement et de la fatigue. Tout est désormais filmé, le moindre faux pas est immédiatement mis sur Internet. Mais les accusations de racisme dont il a fait l'objet sont totalement déplacées. » Selon cet ancien collaborateur du Président, « Bill Clinton était un avantage. Grâce à lui, Hillary a réellement développé une affinité avec la classe ouvrière. Il connecte incroyablement avec les gens ! »

Lorsqu'il revient sur les événements de la campagne, John Emerson estime que le tournant de ces primaires a eu lieu dès le début. « L'Iowa, lâche-t-il. C'est là que tout s'est joué. Obama prouve, dès le début, qu'il peut gagner cette course. » John Emerson liste ensuite les facteurs qui ont fait, selon lui, la différence. « Première erreur de Clinton : faire campagne comme si sa candidature était inévitable. Elle a adopté le comportement type d'un candidat sortant. C'est l'erreur majeure que Mark Penn, son directeur de campagne, a commise. Deuxième erreur : avoir fait l'impasse sur les États où des caucus, et non des élections primaires, étaient organisés. C'est inexplicable ! Le troisième facteur, c'est Barack Obama lui-même. Il a fait campagne avec beaucoup de constance. Il n'y a pas eu de défaut majeur. Même l'épisode de son pasteur, il s'en est tiré ! D'ailleurs, je pense que cela l'a renforcé. Il a montré qu'il pouvait encaisser les coups et se relever. »

John Emerson conclut : « Cette élection se fera sur le thème du changement. Depuis trente-deux ans, il n'y a eu que trois élections de ce type : celle de Jimmy Carter en 1976, celle de Ronald Reagan en 1980 et celle de Bill Clinton en 1992. Barack Obama incarne cette volonté de changement. »

10

« Les Nations unies à lui tout seul »

« Pas assez noir. » « Pas assez blanc. » Le candidat « post-race ». « Chrétien. » « Musulman. » Que n'entend-on dire au sujet du candidat à la présidence ? Premier candidat africain-américain à avoir une réelle opportunité d'accéder à la présidence, Barack Obama déchaîne les passions. Les médias, fascinés, s'en font volontiers les relais. Guère étonnant, dès lors, que les rumeurs les plus ridicules circulent, rapidement instrumentalisées par ses adversaires politiques ou par des groupes ultraconservateurs.

Au-delà de l'écume de la vie d'une campagne électorale agitée, la question de fond demeure : qui est donc Barack Obama ? Où se situe-t-il, d'un strict point de vue identitaire ? L'homme qui sera peut-être aux commandes de la première puissance mondiale ne peut échapper à la dissection systématique.

La meilleure formule pour définir le sénateur de l'Illinois est sans doute celle-ci : « Barack ? C'est les Nations unies à lui tout seul ! » La boutade est lancée par Dan Shomon, son plus proche conseiller politique pendant neuf ans[1]. Mais, dans la bouche de Dan, ce n'est pas une plaisanterie. « Il est vraiment tout cela à la fois : noir, blanc, éduqué parmi l'élite, construit dans la difficulté, à l'aise

---

1. Entretien avec l'auteur, 9 février 2007. Voir aussi le chapitre 5.

avec tout le monde... » Obama a grandi à Hawaii et en Indonésie, puis a fait Columbia et Harvard. Il a aussi bien été travailleur social dans la misère de Chicago qu'avocat ou professeur d'université. Un sacré mélange des genres, on en conviendra. Ou, plutôt, une série de cycles qui ont contribué à forger et enrichir l'homme politique de premier plan qu'il est devenu aujourd'hui. Mais les deux livres qu'il a lui-même écrits, ainsi que de longues conversations qu'il a tenues avec des amis proches, à différentes étapes de sa vie, permettent d'en savoir un peu plus.

Une éducation « blanche »

Après les quatre années passées en Indonésie avec sa mère et son beau-père, le jeune Barry Obama est envoyé chez ses grands-parents maternels, à Honolulu. Ann Dunham veut qu'il soit éduqué aux États-Unis, après avoir suivi les cours élémentaires successivement dans une école musulmane et une école catholique, à Djakarta[1]. Ses grands-parents jouent un rôle crucial dans son éducation. Les origines du Kansas, cette terre rurale en plein centre du continent nord-américain, sont souvent évoquées par Madeleine et Stanley. En outre, le petit Obama côtoie une majorité de camarades blancs à l'école Punahou.

Lorsque Barry Obama quitte son archipel natal, il rejoint des établissements d'enseignement supérieur, dont la population est majoritairement blanche : Occidental College, à Los Angeles, puis Columbia, à New York et, enfin, Harvard, près de Boston. Harvard, comme Princeton ou Yale, constitue ce que l'on appelle aux États-Unis la « Ivy League ». L'élite. Obama, qui a abandonné son surnom Barry pour mieux retrouver ses racines africaines[2], s'est très bien coulé dans le moule de la haute éducation américaine,

---

1. Voir chapitre 2.
2. Voir chapitre 3.

généralement fréquentée par les WASP. Au point d'être élu rédacteur en chef de la revue de droit de Harvard. La presse relève qu'il est le premier Africain-Américain à accéder à ce poste prestigieux dans l'univers du droit. Lui ne voit que l'aboutissement logique de brillantes années d'études et d'une ambition assumée.

Rêves d'Afrique

La relation de Barack Obama à son père est particulière : élevé sans qu'il soit jamais présent, mais dans le « mythe » de sa réussite sociale, Barack a consacré une partie de ses écrits aux « rêves » de son père. Au-delà de Barack senior, le rapport du politicien avec ses racines africaines est important. La question noire est ainsi posée autrement. Habituellement, les Africains-Américains sont des descendants d'esclaves. C'est le cas de tous les grands leaders du mouvement des droits civiques des années 1960. Mais Obama n'est pas de ceux-là – ce qui lui posera d'ailleurs un problème de légitimité auprès d'une partie de la communauté noire des États-Unis. Obama n'est pas africain-américain. Il est africain ET américain.

Son premier voyage sur les terres paternelles est tardif, puisqu'il ne le réalise qu'aux abords de la trentaine. Au cours de ce retour aux sources, il pleure sur la tombe de son père[1]. Il y retourne en 1994, afin de présenter sa jeune fiancée Michelle à sa famille kenyane, constituée de six demi-frères, une demi-sœur et sa grand-mère paternelle, Sarah. Le jeune avocat et professeur a alors trente-trois ans et ne s'est s'est pas encore lancé en politique.

Il effectuera un troisième séjour en Afrique, mais dans un tout autre contexte. En 2006, il s'y rend en visite officielle, en tant que sénateur des États-Unis et membre du comité des Affaires étrangères. En quelques jours, lui et son

---

1. L'épisode, touchant, est relaté dans son premier livre, *Les Rêves de mon père*, *op. cit.*

équipe décident de se rendre dans plusieurs pays du continent noir. Le calendrier, infernal, emmène le parlementaire
au Kenya, en Afrique du Sud, en Éthiopie, à Djibouti et au
Tchad, à la frontière du Darfour (Soudan). Son passage au
Congo et au Rwanda ont quant à eux été annulés pour
cause de regains de violence dans la région.

Bob Hercules est alors aux premières loges. Ce produc-
teur et réalisateur de documentaires télévisés s'est vu proposer un accès privilégié pour suivre Obama lors de ce
périple. « C'était véritablement de la folie de faire tout cela,
se souvient-il. Nous étions suivis par de nombreux journalistes africains et américains, c'était fou[1] ! »

« Au départ, l'idée était de tourner au plus près de Barack
Obama, d'en faire un portrait intime. » Bob Hercules, établi
à Chicago, ne cache pas être un ami de David Axelrod, le
conseiller le plus proche d'Obama. Le réalisateur s'est même
rendu à plusieurs dîners de soutien du sénateur, au long de
sa carrière dans l'Illinois. « Oui, on se connaît un peu », livre-
t-il tranquillement attablé dans la salle de réunion de sa
société de production[2]. Si l'aventure du documentaire prend
une tout autre tournure avec la présence d'innombrables
journalistes, il permet tout de même de souligner l'attache-
ment de Barack Obama à ses racines.

L'emploi du temps est avant tout à but politique. Bien
qu'il s'agisse d'un voyage officiel, Barack Obama insiste
auprès de ses conseillers pour passer par le village natal de
son père, Nyangoma-Kogelo, dans l'ouest rural du Kenya.
« La rencontre avec sa grand-mère était très belle »,
témoigne Bob. À l'image, on peut voir Obama prendre sa
grand-mère Sarah par les épaules et, en compagnie de sa
demi-sœur, de ses enfants et de sa femme, s'enfermer
quelques instants dans la maison familiale[3].

---

1. *Senator Obama goes to Africa*, un film de Bob Hercules et Keith
Walker. Production Media Process Group (Chicago).
2. Entretien avec l'auteur, 10 mars 2008.
3. Le grand-père de Barack, Onyango Hussein, fut l'un des premiers
convertis musulmans dans le village.

Le décor est celui, typique, d'un village africain. Pas de route goudronnée, des poulets qui courent en liberté, des maisons au confort spartiate. L'émotion est palpable. Sarah, dont le dialecte est traduit par un interprète, affirme qu'elle est « heureuse de le recevoir, parce que je n'ai pas de repas spécial à préparer pour lui. C'est quelqu'un qui a les pieds sur terre. Je lui donnerai un simple repas de petit-fils[1] ».

Une demi-heure seulement s'est écoulée, et il faut déjà repartir. « Le même jour, nous avions trois arrêts prévus après Nairobi », se souvient Bob Hercules. Le but du voyage était de faire passer un message politique et le reste de la journée est chargé. Globalement, « Sénateur Obama » tente de dire que les États-Unis soutiendront l'Afrique, la démocratie et la lutte contre le Sida. « J'écoute ce que vous me dites et je vais en parler dès mon retour en Amérique », l'entend-on proclamer maintes fois dans le film. « Le même jour de sa visite familiale, Barack et Michelle ont fait un test de séropositivité devant tout le monde », reprend Bob Hercules. Il explique longuement, pédagogiquement, avec un haut-parleur, à la foule massée devant le petit bus médicalisé : « Vous voyez, avec Michelle nous allons faire un test. Ainsi, nous allons savoir si nous avons un problème ou pas. C'est très facile à faire. Et lorsque vous apprenez votre statut, vous pouvez agir facilement. » « Cette population était extrêmement pauvre », rappelle le réalisateur.

Le parlementaire se rend également à Kibera, le plus grand bidonville du continent africain. Il promet qu'il y reviendra. Puis il prononce un discours à l'université de Nairobi. « Je travaillerai avec le gouvernement pour apporter plus d'opportunités à cette région, dit-il notamment. Vous êtes tous mes frères et mes sœurs », livre-t-il, ému, devant une foule conquise.

Avant le Kenya, la délégation s'était rendue en Afrique du Sud. Là aussi, le message sur le Sida est martelé, dans un pays où le nombre de malades atteint des records. C'est

---

1. « Sen. Obama tours Africa », Worldpress.org, 11 septembre 2006.

aussi l'étape où Obama laisse entrevoir une « émotion non feinte », dixit Bob Hercules. Un moment précis, en particulier. « Nous nous apprêtions à prendre le bateau pour Robben Island, l'île-prison où Nelson Mandela et ses compagnons avaient été enfermés sous le régime de l'Apartheid, durant vingt-sept ans. Là, clairement, j'ai senti qu'Obama était ému d'être sur le continent de ses ancêtres. »

À son retour d'Afrique, Barack Obama défend notamment la cause des victimes au Darfour[1]. Il s'est rendu à sa frontière, visitant un camp de réfugiés. Il en parlera publiquement au Sénat et prendra contact avec une spécialiste des questions de génocide, Samantha Power[2], pour étudier la question plus avant.

À l'issue de ce voyage, les témoins ayant suivi Obama sont rentrés frappés par l'enthousiasme de la population locale, par les orchestres, les chants, les T-shirts estampillés « Senator Obama, Welcome Home », par toutes ces foules massives... « Il est véritablement un fils de l'Afrique, commente ainsi un présentateur télévisé kenyan. Son élection [au Congrès américain] signifie réellement quelque chose pour les gens d'ici. » Partout, les foules se pressent pour l'accueillir et l'acclamer. L'amphithéâtre de l'université de Nairobi ne suffit pas : des centaines d'étudiants suivent son discours à l'extérieur.

L'enracinement dans la communauté noire

De Barry à Barack. C'est vers l'âge de dix-huit ans que le jeune Obama décide de reprendre son vrai prénom, qui signifierait « béni[3] ». Il s'agit pour l'étudiant d'un retour sur lui-même, ou plutôt d'une véritable découverte de

---

1. Voir chapitre 11.
2. Voir chapitre 8.
3. Voir chapitre 2.

lui-même. L'objectif avoué est certes de renouer avec ses racines africaines, mais aussi et même surtout d'avancer. De se connaître.

L'installation de Barack Obama à Chicago, après ses études à Columbia et son premier emploi à New York, est un tournant décisif dans sa vie. La rencontre avec Jerry Kelmann, cruciale, lui permet de comprendre ce que signifie réellement être africain-américain au cœur d'une grande métropole des États-Unis. Au contact des habitants en difficulté du quartier sud, Barack Obama développe un goût prononcé pour la proximité, développe des affinités. Il se reconnaît en un grand nombre de personnes en lutte.

« Lorsque Barack est arrivé, il était effectivement en pleine réflexion sur son identité », témoigne Jerry Kellmann, qui avait alors embauché le jeune étudiant de vingt-quatre ans dans son programme d'amélioration des conditions de vie dans la communauté noire du sud de Chicago[1]. Jerry Kellman a réellement été l'un des témoins privilégiés de la transformation du jeune Barack. « Il voulait vraiment être en relation avec la communauté africaine-américaine. Il était déjà connecté avec son histoire, de façon abstraite, et il avait besoin de comprendre quel genre de vie menait cette communauté au quotidien. » Jerry marque une pause. Il semble réfléchir. Puis il reprend : « Barack a pris à ce moment-là une décision très importante : celle d'y faire sa vie. De vivre au sein de cette communauté. » L'enracinement est donc pleinement voulu et assumé.

La rencontre avec Michelle, après son brillant passage à Harvard, permet d'approfondir ses liens avec la communauté africaine-américaine. Lui, fils d'Africain et non de descendants d'esclaves, élevé par des grands-parents blancs, s'identifie désormais aux combattants pour la cause des droits civiques. Il se découvre une famille chez les Robinson. L'autre facteur d'enracinement dans son identité

---

2. Entretien avec l'auteur, 10 mars 2008.

de Noir américain est sans aucun doute sa rencontre avec l'Église, plus particulièrement avec un pasteur.

Une foi profonde

En ce samedi matin, hormis le ronronnement constant de l'aspirateur, tout paraît calme à la Trinity United Church de la 95e Rue, dans le quartier sud de Chicago. Au sein de l'austère et massif bâtiment moderne, on se prépare aux trois offices du dimanche. L'aspirateur est soigneusement passé sur la moquette rouge carmin qui recouvre les allées. Cette grande église, de forme hexagonale et sans nef centrale, permet à un large public de prendre place ; ce sont ainsi au moins mille cinq cents personnes qui peuvent s'y asseoir. Les balcons donnent presque l'impression d'être dans une salle de spectacle. Sur les vitraux, les personnages de la Bible sont tous noirs. Sur le côté, la batterie et les autres instruments de l'orchestre sont disposés, prêts à faire résonner rock et gospel.

Nous sommes dans l'antre de Jeremiah Wright. Ce pasteur noir, sexagénaire, a « fait » la Trinity United à lui tout seul. Cette paroisse chrétienne protestante[1], de la branche Trinity United Church, était totalement tombée en désuétude. En trente-six ans, le révérend Wright en a fait l'une des églises de Chicago les plus populaires, comptant plus de huit mille cinq cents membres dans la communauté.

C'est ici que Barack Obama a choisi de pratiquer sa foi chrétienne, en famille. « Il cherchait une église où il pouvait se sentir à l'aise, explique Dan Shomon[2]. La première année où je l'ai connu, il changeait régulièrement de

---

1. Selon les statistiques du gouvernement, 70 % des Américains sont protestants, 25 % catholiques. Le reste se divise en d'autres religions. L'Église protestante comporte sept branches principales : Méthodistes, Baptistes, Épiscopaliens, Luthériens, Pentecôtistes, Presbytériens et Apostoliques.
2. Entretien avec l'auteur, 9 février 2007.

paroisse. Il cherchait aussi à rencontrer du monde, à faire des connaissances. » Poussé par Michelle, Barack Obama a fini par prendre ses habitudes à la Trinity, cette église africaine-américaine dont la majorité des fidèles appartiennent à la frange supérieure de la société. Bien que située dans un quartier plutôt défavorisé, elle accueille en effet essentiellement des chrétiens ayant suivi de longues études et ayant un emploi bien rémunéré. Exactement le profil de la famille Obama. Selon Shomon, « Barack y a véritablement trouvé une famille ».

Obama a été élevé dans la laïcité prônée par sa mère. Anthropologue, collectionneuse de textes religieux, elle a tenu à lui apprendre les principales idées des grandes religions, au premier rang desquelles la tolérance. « Maman était une humaniste, confie Maya Soetoro-Ng, demi-sœur de Barack. Elle nous a élevés dans le respect de toutes les religions et de toutes les philosophies[1]. » Ses grands-parents étaient des chrétiens baptistes et méthodistes, mais non pratiquants. Du côté de sa famille kenyane, si sa grand-mère est une musulmane résolue (« Je suis une fervente croyante de l'Islam », révèle Sarah[2]), ses membres sont en revanche pour moitié chrétiens et moitié musulmans. Barack lui-même est longtemps resté « sceptique » vis-à-vis de la religion en général[3].

À la Trinity United, « tout est fait pour vous mettre à l'aise. Un comité d'accueil vous souhaite la bienvenue, puis on s'efforce de vous trouver une place confortable ». Dwight Hopkins sait de quoi il parle[4]. Il y est un fidèle

---

1. Propos recueillis par l'auteur le 21 juin 2008.
2. « A candidate, his minister and the search for faith », *New York Times*, 30 avril 2007.
3. Dans *Les Rêves de mon père*, il écrit notamment : « [...] je restais irrémédiablement sceptique, plein de doutes quant à mes propres motivations, méfiant envers toute conversion, ayant trop de différends avec Dieu pour accepter un salut trop aisément gagné » (*op. cit.*, p. 304).
4. Entretien avec l'auteur, 11 mars 2008.

depuis de très nombreuses années. À cinquante-cinq ans, ce professeur à la faculté de divinité de Chicago est ordonné, mais ne pratique pas. « Je ne suis pas pasteur, mais professeur », dit-il dans un sourire.

Hopkins est un proche de Jeremiah Wright, le pasteur fondateur, et côtoie régulièrement Barack Obama à l'église, ainsi qu'à l'école élémentaire du campus universitaire ; leurs enfants y sont même scolarisés ensemble. Il a également travaillé avec Michelle à plusieurs occasions. « On a notre petite plaisanterie commune, révèle-t-il dans un sourire fier. Lorsqu'on se croise, je hoche la tête en disant "Bonjour, monsieur le Sénateur". Il me répond en hochant la tête à son tour "Bonjour, monsieur le professeur" ! » Il éclate de rire. « Vraiment, Barack ne se prend pas au sérieux. »

La rencontre avec le révérend Jeremiah Wright est décisive. En 1988, un sermon intitulé « L'audace d'espérer » – qui sera le titre du deuxième livre d'Obama – résonne en son for intérieur. Le jeune homme de vingt-sept ans vibre alors : il trouve véritablement la foi. La personnalité de Wright n'y est pas pour rien. Ancien Marine, il se révèle un patriote convaincu. Ses sermons, délivrés avec force, volontiers provocateurs, ne laissent pas indifférent. Le jeune avocat se montre surtout impressionné par le fait que le pasteur soit l'un des rares à avoir effectué plusieurs séjours en Afrique, nouant ainsi des liens forts entre sa paroisse et le continent noir. Sa théologie lie l'épopée des chrétiens à celle des Africains-Américains, associant ainsi la justice spirituelle et la justice sociale. Fraternité chrétienne et fraternité de « race ». Cette année-là, Barack Obama devient chrétien, baptisé par son mentor. Fidèle assidu des messes du dimanche, il demande à Wright d'officier à son mariage, de baptiser ses deux filles et de bénir sa maison. Les deux hommes deviennent dès lors très proches.

Aujourd'hui, Barack Obama est toujours un fervent chrétien. Il écrit notamment qu'il se « soumet à la volonté » de Dieu et se « dédie à la découverte de Sa vérité ». Mais il admet volontiers avoir des doutes, en particulier sur ce qu'il y a après la mort et « ce qui a existé avant le Big Bang[1] ». Au cours de la campagne présidentielle, il s'ouvre un peu plus sur sa spiritualité. Il affirme prier « tous les jours », pour « demander pardon pour mes péchés et mes défauts, qui sont nombreux, pour la protection de ma famille, pour que je porte la volonté de Dieu et, pas de manière grandiose, mais simplement qu'il y ait une adéquation entre mes actions et ce que je voudrais qu'elles soient. Parfois, je prie pour des gens qui ont besoin d'un coup de main[2] ».

Barack Obama indique également voyager avec sa Bible autant que possible, la lisant souvent avant de s'endormir. « Cela me donne un point de réflexion », dit-il. Il avoue aussi avoir demandé l'aide de Dieu pour prendre deux des plus grandes décisions de sa vie : son mariage avec Michelle et sa candidature à la présidence. « J'ai prié pour être candidat. C'est une grande décision qui a un impact direct sur ma famille et, que je gagne ou que je perde, sur le pays tout entier. Si j'avais fait une campagne décevante, cela aurait provoqué des répercussions ; si je gagne, cela apportera d'énormes responsabilités. J'ai consacré beaucoup de temps à prier pour cela », admet-il.

La polémique Jeremiah Wright

Docteur Wright ne parle plus à la presse depuis un article paru dans le *New York Times* en avril 2007, qui mentionnait le fait que Barack Obama s'éloignait de lui. Mais Hopkins confirme : « Les deux hommes sont très, très proches. » Dan Shomon y va également de son témoignage : « Le révérend Wright a clairement une grande influence sur Barack. Ils s'entendent très bien. » On peut

---

1. Barack Obama, *L'Audace d'espérer, op. cit.*
2. « I am a big believer in not just words, but deeds and works », *Newsweek*, 21 juillet 2008.

parler aisément de conseiller spirituel. Mais utiliser ici le terme de gourou serait par trop exagéré. Obama, de son côté, aime à parler d'une relation comme celle qu'on peut entretenir avec un oncle. Et Dwight Hopkins « ne croit pas qu'ils se soient éloignés » l'un de l'autre depuis qu'Obama lorgne la Maison Blanche.

Et pourtant toute l'équipe du candidat a tremblé des jours durant, au cœur du mois de mars 2008, en pleines élections primaires, lorsque des vidéos des sermons du révérend Wright sont apparues sur YouTube. Les propos, compromettants, ont été vivement dénoncés par les porte-parole de Barack Obama et par le sénateur en personne. Dans une rare tribune au *Huffington Post*, le démocrate prend clairement ses distances avec « Oncle Wright ».

Que disait donc le Wright ? « Que Dieu condamne l'Amérique ! » Dans un sermon d'avril 2003, que Barack Obama dit ne pas avoir entendu, le pasteur va même jusqu'à affirmer que « le gouvernement fournit de la drogue, construit des prisons plus grandes. [...] Non, non, non ! Que Dieu condamne l'Amérique pour tuer des gens innocents. Que Dieu condamne l'Amérique pour traiter les citoyens comme moins que des êtres humains. Que Dieu condamne l'Amérique tant qu'elle essaie d'agir comme si elle était le Dieu suprême. »

Wright ne s'est également pas privé de se prononcer sur les attaques terroristes du 11 septembre 2001. « Nous avons bombardé Hiroshima. Nous avons bombardé Nagasaki. Et nous avons tué bien plus que les milliers [de victimes] à New York et au Pentagone, sans même avoir à cligner des yeux. [...] Nous avons soutenu le terrorisme d'État contre les Palestiniens et les Africains noirs, et maintenant nous sommes pris pour cible à cause de choses que nous avons faites à l'étranger, qui nous reviennent maintenant. » Encore plus polémique, on voit aussi sur vidéo le pasteur déclarer que le « gouvernement a menti au sujet de l'invention du Sida comme moyen de génocide contre le peuple de couleur ».

Qui est donc réellement ce mystérieux pasteur noir ? Et que dit-on entre les murs de la Trinity United Church ? « Nous sommes une congrégation qui est noire sans en avoir honte, et chrétienne sans avoir à en demander pardon. Nos racines dans l'expérience religieuse et traditionnelle noire sont profondes, anciennes et permanentes. Nous sommes un peuple africain et nous demeurons "fidèles à notre terre natale", le continent-mère, le berceau de la civilisation. Dieu a supervisé notre pèlerinage à travers les jours de l'esclavage, les jours de la ségrégation et la longue nuit du racisme. C'est Dieu qui nous donne la force et le courage de continuer à parler d'injustice en tant que peuple et en tant que congrégation. Nous affirmons constamment notre foi en Dieu à travers l'expression culturelle d'un enseignement et de ministères noirs, qui s'adressent à la communauté noire. »

Cette profession de foi est issue de la rubrique « À notre propos » du site web officiel de l'Église[1]. Mais elle va plus loin dans l'engagement. S'ensuivent douze préceptes que les fidèles sont supposés suivre à la lettre. Douze engagements qui expriment avec force les convictions de Trinity United. « 1) Engagement envers Dieu. 2) Engagement envers la communauté noire. 3) Engagement envers la famille noire. 4) Engagement envers la recherche de l'éducation. 5) Engagement envers la recherche de l'excellence. 6) Adhésion à l'éthique de travail noire. 7) Engagement envers l'autodiscipline et le respect de soi. 8) Désaveu de la recherche de la "classe moyenne". 9) Serment de partager les fruits des compétences acquises avec toute la communauté noire. 10) Serment de donner régulièrement une part de ses revenus personnels pour renforcer et soutenir les institutions noires. 11) Serment d'allégeance au leadership noir qui épouse et embrasse le système de valeurs noir. 12) Engagement personnel à embrasser le système de valeurs noir. »

---

1. www.tucc.org/about.htm

Il est simple de constater que la paroisse est uniquement tournée vers la communauté africaine-américaine. Cela peut paraître choquant si l'on conserve un point de vue uniquement français ou européen. Mais, dans le maillage communautaire qui fait les États-Unis d'aujourd'hui, une telle église et de telles revendications sont choses courantes. Dwight Hopkins, avec son recul d'universitaire, aide à mieux comprendre et percevoir les enjeux. « Il faut remettre les choses dans leur contexte historique. La théologie chrétienne noire n'a pas grand-chose à voir avec la théologie chrétienne catholique, par exemple. »

Lorsqu'on lui demande de spécifier sa pensée, Hopkins va plus loin : au sein de l'Église noire, il est rarement question de salut personnel passant par la foi. On n'interprète pas non plus de façon littérale les Évangiles, comme peuvent le faire les baptistes ou les évangéliques. « Le révérend Wright fait une double explication lors de ses serments. L'une dans le contexte historique de la Bible, l'autre dans les leçons que l'on peut en tirer aujourd'hui. »

Soit. Mais encore ? « Ce sur quoi je veux insister, reprend Hopkins, qui apparaît vraiment comme un professeur dans sa bibliothèque, c'est l'unique expérience de la communauté noire aux États-Unis et le rôle qu'a joué l'Église. Ce rôle a été absolument fondamental pendant l'esclavagisme et dans sa libération. Par conséquent, le discours de justice sociale est totalement lié au discours spirituel. » Bref, il n'y a pas de séparation entre la foi, au sens strictement spirituel, et la revendication sociale et politique. C'est pourquoi, selon le professeur Hopkins, « il faut replacer les interventions de Jeremiah Wright dans leur contexte. Il n'est pas un extrémiste ».

De fait, le révérend est traité de « sulfureux » par les médias nationaux. À Chicago, il est un théologien respecté en dehors de son simple cercle d'influence directe. Ainsi, Jerry Kellman, le travailleur social qui avait embauché Barack Obama au cours de sa jeunesse à Chicago[1], porte

---

1. Voir chapitre 3.

un regard intéressant sur le pasteur. Kellman est blanc. Né juif, il s'est converti au christianisme. Il a travaillé pendant de très nombreuses années avec les églises noires des quartiers défavorisés du sud de Chicago, parmi lesquelles la Trinity United, et est aujourd'hui conseiller spirituel dans plusieurs paroisses blanches des quartiers favorisés du nord de la métropole. « Wright est quelqu'un qui a beaucoup fait pour son église et sa communauté. Il a fait un travail remarquable et a été influent pour l'obtention d'une meilleure justice sociale pour la communauté. À Chicago, il s'agit de quelqu'un de très respecté et d'écouté. »

Déchaînement médiatique

Néanmoins, les sermons enflammés du pasteur, tels qu'ils ont été diffusés sur YouTube, sont choquants. Il a suffi d'une journée et d'une reprise par les talk-shows radiophoniques conservateurs et les chaînes d'information du câble pour que l'équipe d'Obama réagisse. Bien que très proche de Wright, le sénateur a dû très rapidement prendre ses distances.

Dans une rare tribune, Barack Obama condamne les propos de son ami[1]. « Laissez-moi dire tout de suite que je désapprouve avec véhémence et condamne fermement les déclarations qui ont déclenché cette polémique. Je dénonce catégoriquement toute déclaration qui rabaisse notre grand pays et qui nous désunit de nos alliés. [...] En cela, je rejette immédiatement les déclarations du révérend Wright à ce sujet », écrit-il. Obama poursuit en expliquant sa relation avec le pasteur. « Le révérend Wright a prêché l'Évangile de Jésus, sur lequel ma vie est fondée. En d'autres termes, il n'a jamais été mon conseiller politique ; il a été mon pasteur. Et les sermons que j'ai entendus de sa

---

1. *Huffington Post,* 14 mars 2008.

part parlaient toujours de notre obligation à aimer Dieu et nous aimer les uns les autres, à aider les pauvres et à chercher la justice à chaque moment. » Puis le candidat à la présidence conclut : « Alors que les déclarations du révérend Wright m'ont fait de la peine et m'ont mis en colère, je suis persuadé que les Américains ne me jugeront pas sur la base de ce qu'a dit quelqu'un d'autre, mais sur qui je suis et sur ce que je crois, sur mes valeurs, mon jugement et mon expérience pour être Président des États-Unis. »

Un discours « historique »

Lorsque cette tribune est publiée et reprise par de nombreux médias, Barack Obama et ses conseillers pensent sans doute éteindre l'incendie. Peine perdue. La polémique continue, enfle, les vidéos des sermons du pasteur circulent toujours plus sur Internet et sont sans cesse diffusées, commentées, décortiquées, interprétées sur Fox News et CNN. Quatre jours plus tard, en pleine campagne pour la primaire de Pennsylvanie, Barack Obama prononce un discours que beaucoup jugeront « historique » de la part d'un politicien américain[1]. Le thème : les divisions raciales aux États-Unis. L'objectif : étouffer la polémique, qui n'a que trop duré, mais aussi la dépasser et se poser en rassembleur. Le lieu : Philadelphie, première capitale du pays, où l'Indépendance des treize colonies britanniques a été proclamée et où la Constitution a été écrite et adoptée.

Dans ce discours d'une vingtaine de minutes, intitulé « Une Union perfectible[2] », Obama évoque son histoire personnelle et la lie à celle de son pays. Il revient sur

---

1. Dans le *New York Times*, Nicholas D. Kristof estime qu'« Obama a donné le meilleur discours politique depuis que John Kennedy a parlé de son catholicisme à Houston en 1960 ». « Obama and Race », 20 mars 2008.
2. « A more perfect Union. »

« l'affaire » : « Les commentaires du révérend Wright n'étaient pas seulement diviseurs, à une période où nous avions besoin d'unité ; racialement chargés à l'heure où nous avions besoin de nous rassembler pour résoudre des problèmes monumentaux – deux guerres, une menace terroriste, une économie qui souffre, une crise chronique du système de santé et un changement climatique potentiellement dévastateur ; des problèmes qui ne frappent pas uniquement les Noirs, les Blancs, les Latinos ou les Asiatiques, mais des problèmes qui nous concernent tous. [...] L'erreur profonde des sermons du révérend Wright, ce n'est pas qu'il ait parlé du racisme dans notre société, c'est qu'il ait parlé comme si notre société était statique, comme si aucun progrès n'avait été fait, comme si un pays – un pays qui a rendu possible pour l'un de ses membres d'être candidat à la plus haute fonction et de construire une coalition de Blancs et de Noirs, de Latinos et d'Asiatiques, de riches et de pauvres, de jeunes et de vieux – était irrévocablement lié à son passé tragique. Mais ce que nous savons, ce que nous avons vu, c'est que l'Amérique peut changer. Cela est le vrai génie de cette nation. Ce que nous avons déjà accompli nous donne espoir – l'audace d'espérer – quant à ce que nous pouvons et devons accomplir demain. »

Un candidat « post-race » ?

Qui est Barack Obama ? Si lui semble le savoir, les médias se révèlent toujours en quête de vouloir répondre à cette simple question. Ce candidat « non conventionnel », comme il se définit lui-même, ne cesse de fasciner. Au point que l'équipe de John McCain dénonce la « love affair » entre la presse et la télévision et le sénateur de l'Illinois. Plus sérieusement, tout au long de la campagne, avant même la longue polémique au sujet du pasteur Jeremiah Wright, les commentaires, les éditoriaux, les enquêtes se multiplient sous l'angle racial, comme on dit aux États-Unis. On parle même de candidat « post-race », comme si le pays avait dépassé ses démons et que la couleur de peau ne comptait désormais plus...

Dès l'été 2007, les médias posent la question. « Noir et Blanc : comment Barack Obama secoue les vieilles conceptions », titre l'hebdomadaire *Newsweek*, avec un portrait de l'intéressé en couverture[1]. L'article est accompagné d'une enquête d'opinion. À l'époque, d'autres représentants de minorités sont encore en course pour la présidence : Bill Richardson (Hispanique, démocrate), Mitt Romney (mormon, républicain) et Hillary Clinton (une femme – considérée comme une minorité ! – démocrate). À la question « Voteriez-vous pour une femme, un Afro-Américain, un Hispanique ou un mormon ? », les réponses sont toutes largement positives (respectivement 85 %, 92 %, 80 % et 65 %). Mais lorsqu'on interroge les mêmes personnes pour savoir si l'Amérique est prête à voter pour les mêmes, les réponses sont sensiblement différentes. On découvre que les sondés pensent à 58 % que le pays est prêt à élire une femme, à 59 % à élire un Noir, à seulement 40 % pour un Hispanique et 35 % pour un mormon ! Une autre question est même posée sans ambages : « Un candidat noir comme Barack Obama peut-il rassembler suffisamment de voix chez les électeurs blancs pour être élu Président ? » Résultat : 57 % des sondés votent oui, 29 % non, et 14 % ne se prononcent pas.

Pendant toute la campagne des primaires, Barack Obama a soigneusement évité d'apparaître comme le candidat d'une minorité. Mais la question était pourtant sur presque toutes les lèvres : gagnera-t-il suffisamment de suffrages parmi les électeurs blancs ? L'équipe de Hillary Clinton ne s'est évidemment pas privée de jouer sur cette division. Mais en remportant des bastions traditionnellement blancs, comme l'Iowa, le Maine, la Virginie ou le Maryland, Obama a plus que rassuré quant à sa capacité à rassembler.

---

1. 16 juillet 2007.

Pourtant, assez paradoxalement, au moment de se lancer dans la course, l'entourage du sénateur se révélait inquiet – ou du moins interrogatif – quant à son score au sein de l'électorat noir. Bill Clinton n'avait-il pas été qualifié par l'écrivain Toni Morrisson – qui obtint en 1993 le prix Nobel de littérature – de « premier Président noir », tant il était devenu proche de cette communauté ? La crainte principale résidait dans le fait qu'Obama n'était pas descendant d'esclaves. Qu'il était trop jeune pour avoir connu le mouvement des droits civiques et ses figures devenues légendaires, comme Martin Luther King. Il a donc fallu rassurer la base. « Je n'ai pas eu à aller en prison. Je ne me suis pas fait casser la figure. Je n'ai pas eu de chiens à ma poursuite. Donc, je bénéficie de ce que la génération de Moïse a fait. La question serait plutôt de savoir si les Joshuas parmi nous ont l'intention de se lever, d'être comptés, de voter, d'organiser, en un mot, de se mobiliser », déclare Barack Obama dans une église de la communauté noire dans l'Iowa[1]. Il compare les pionniers des droits civiques à Moïse, dans le sens où ils ont atteint le sommet de la montagne, sans pour autant trouver la Terre promise, laissant cette tâche à Joshua. Selon cette analyse, Obama se place en successeur des leaders noirs des années 1960. Et met ainsi sa candidature dans la perspective de l'Histoire.

Les commentaires se sont poursuivis. Dans une tribune publiée dans le *Los Angeles Times*, l'éditorialiste David Ehrenstein parle du « nègre magique[2] ». Il y décortique le mythe littéraire et cinématographique ainsi dénommé. En résumé, chaque Blanc a un ami noir, qui rassure, qui exempte de tout racisme. Obama ne serait que celui-ci pour la société américaine. Selon lui, même les critiques les plus sévères ont cessé, « magiquement ». Obama serait-il intouchable parce que noir ?

---

1. « Obama casts self as Civil Rights successor », *Politico*, 26 novembre 2007.
2. « Obama the Magic Negro », *Los Angeles Times*, 19 mars 2007.

« Hussein » et « Osama »

Au-delà des commentaires ou des analyses, les rumeurs les plus folles continuent de circuler sur Barack Obama et sur sa « réelle identité ». Souvent lancées, alimentées et récupérées par la frange la plus extrême du parti républicain, elles reprennent toutes plus ou moins le même thème : Barack Obama n'est pas chrétien, il est un musulman qui avance masqué. La preuve : une grande partie de sa famille est musulmane, et son deuxième prénom (le « middle name » américain) est Hussein. Ces deux faits sont véridiques. Mais ils sont manipulés. Et en cette période de post-11 Septembre et de « guerre contre le terrorisme », l'islam n'a pas bonne presse dans l'Amérique moyenne.

Une rumeur insistante a perturbé le début de la campagne des primaires ; Obama aurait reçu une éducation dans une *madrasa*, c'est-à-dire une école coranique, à Djakarta. Faux. L'école dispensait bien des cours sur l'islam, mais il ne s'agissait pas d'une *madrasa*. La source de cette rumeur, selon un journaliste d'*Insight*, ne serait pas les républicains, mais l'équipe Clinton... Un commentateur conservateur, Robert Spencer, écrit un article sur « notre premier Président musulman ». Le milliardaire républicain Rush Limbaugh a dit, en septembre 2007, qu'il se « trompait » parfois entre « Obama et Osama Ben Laden ». Des présentateurs d'émissions de radio conservateurs n'hésitent pas à nommer systématiquement le sénateur de l'Illinois « Barack Hussein Obama[1] ». Vous avez dit racisme ?

Ce thème récurrent de la campagne connaît son apogée en juillet 2008. Obama, désormais candidat officiel du parti démocrate, fait la une du *New Yorker* d'une drôle de façon

---

1. Un article fait le point sur toutes ces rumeurs. « Foes use Obama's muslim ties to fuel rumors about him », *Washington Post*, 29 novembre 2007.

et bien malgré lui[1]. Cette publication progressiste, qui s'adresse à des lecteurs situés à gauche sur l'échiquier politique américain, publie une caricature représentant Obama en djellaba, un turban sur la tête et des babouches aux pieds. Il cogne son poing contre celui de Michelle, sa femme, munie d'une Kalachnikov sur l'épaule et vêtue comme une révolutionnaire. La scène se déroule dans le bureau ovale de la Maison Blanche. Au mur, on peut voir un portrait de Ben Laden et, dans la cheminée, la bannière étoilée qui brûle.

Le dessin est censé « dénoncer » les rumeurs circulant à l'encontre du candidat démocrate, expliquent les rédacteurs en chef de l'hebdomadaire. Mais c'est trop tard. La polémique enfle. L'équipe d'Obama fustige la décision de publier une telle image, qui risquerait de lui nuire : tous les Américains ne sont pas à même de comprendre cet humour au second degré, semble dire le camp démocrate. Bill Burton, le porte-parole du sénateur de l'Illinois, déclare : « Le *New Yorker* peut penser qu'il s'agit d'une satire des critiques de Barack Obama que la droite tente de faire. Mais la plupart des lecteurs la verront comme offensive et comme une faute de goût. Nous sommes d'accord. » Alors que tout le monde regarde du côté des républicains, l'équipe de John McCain s'empresse d'aller dans le sens d'Obama : « Nous sommes complètement d'accord avec la campagne d'Obama. C'est sans goût et offensif », affirme Tucker Bounds, le porte-parole du sénateur de l'Arizona dans un communiqué. Fin de l'épisode... pour l'instant ?

Noir ? Blanc ? Métisse ! Barack Obama ne se coule pas aisément dans les moules des idées préconçues. Aucune étiquette ne semble adhérer longtemps. Jerry Kellman résume bien la question, en parlant du quartier sud de Chicago. « Il vit ici, dit-il. C'est sa maison, mais ce n'est pas

---

1. *New Yorker*, 21 juillet 2008.

11

Changer l'Amérique

« Hope », « Change we can believe in », « Reclaiming the American Dream »[1]. La ligne directrice de la campagne de Barack Obama est aussi claire que ses slogans. Des primaires à la campagne générale, elle demeure même identique. Obama incarne l'espoir, le changement, le rêve américain. Un programme bien trop démagogue, voire fumeux, fustigent ses détracteurs ; un message fort, qui n'empêche pas les engagements plus précis, rétorquent ses partisans. Quelle est donc sa position sur les grands enjeux de société aux États-Unis, ou sur les grandes crises internationales ? Est-il un « libéral », comme le prétendent ses confrères conservateurs du Sénat ? Est-il un centriste, voire une fausse colombe quand il s'agit des questions militaires ? Petite plongée au cœur des idées du sénateur Obama...

L'Amérique de retour

« Le jour où je prêterai serment, déclare Obama en novembre 2007, lors d'un meeting à Audubon, Iowa, non seulement le pays se regardera différemment, mais le monde

---

1. « L'espoir », « Un changement auquel on peut croire », « Restaurer le rêve américain ».

235

regardera l'Amérique différemment. Car non seulement je travaille au plus haut niveau du gouvernement en ce qui concerne la politique étrangère, mais aussi parce que les leaders des autres pays savent que j'ai des membres de ma famille qui vivent dans des villages en Afrique, qu'ils sont pauvres, et que je sais ce qu'ils traversent[1]. » D'ailleurs, « vivre à l'étranger vous donne une vue plus large du monde », confirme Zbigniew Brzezinski, ex-conseiller à la sécurité de Jimmy Carter, né en Pologne et ancien résident allemand.

« *America is back !* » On se souvient de ce slogan, claqué comme un coup de fouet par Ronald Reagan au début des années 1980. Le républicain faisait alors référence à la faiblesse de l'administration Carter, Président d'un seul mandat, souvent défini comme « naïf ». Jimmy Carter l'avait emporté à la surprise générale lors de l'élection présidentielle de 1976 contre Gerald Ford, Président sortant – et le seul de l'Histoire qui ne fut jamais élu[2]. L'ancien entrepreneur de Géorgie avait fait des droits de l'homme une clé de voûte de ses relations extérieures. Sa présidence se termina par la prise d'otage des diplomates américains, à Téhéran, en décembre 1979. Cette crise coûta sans aucun doute la Maison Blanche à celui qui fut pourtant le parrain des accords de paix de Camp David, entre Israël et l'Égypte. Reagan, en excellent communicateur, avait insisté sur le « retour de l'Amérique », autrement dit de son prestige et de son pouvoir sur la scène internationale.

Mais l'Histoire a parfois le clin d'œil facile. Et c'est un candidat démocrate, noir qui plus est, qui pourrait aisément incarner le slogan de Reagan le conservateur. Oui, avec Obama, « l'Amérique sera de retour ». C'est en tout cas ce

---

1. « Obama's foreign policy problem », *Time Magazine*, 18 décembre 2007.
2. Ford devint vice-Président sur nomination de Richard Nixon après la démission de Spiro Agnew, qui avait été élu sur le même « ticket » que le Président. Comme le stipule la Constitution, Gerald Ford fut investi 38e Président après la démission de Nixon, en août 1974, suite au scandale du Watergate.

que le candidat proclame à longueur de discours, de meetings, de débats télévisés. Lors d'une soirée très rock 'n' roll à Los Angeles, devant cinq mille personnes en délire, le 10 décembre 2007, il clame sous les vivats que le « pouvoir de l'Amérique, ce n'est pas seulement son armée. Ce sont ses valeurs. Je serai le Président qui construira des écoles, parce que c'est mieux d'enseigner les maths que d'envahir un pays ; je serai le Président qui luttera contre le Sida en Afrique, qui tentera de convaincre de mettre fin au génocide au Darfour ! » Posture humaniste. Succès assuré. Avec Barack Obama, ce seraient les États-Unis généreux. Ceux que l'on aime. La liberté, l'aide aux pays les plus pauvres, en un mot, l'influence positive d'une nation aux valeurs universelles. Naïveté ou souffle nouveau ?

Comme sur de nombreux sujets de politique intérieure, Barack Obama opère une habile synthèse entre pragmatisme, retour aux fondamentaux et vision du monde plus audacieuse. Au cours d'une campagne particulièrement longue, le sénateur de l'Illinois aura eu tout loisir de développer ce qui serait sa politique internationale. Ses écrits et ses propos ont fait l'objet d'éditoriaux incisifs et de questions précises et récurrentes de la part des journalistes.

En 2007-2008, au contraire de la France, où la politique étrangère est le parent pauvre de toutes les campagnes électorales, les États-Unis s'interrogent sur leur rôle dans le monde. Il est indéniable que le pays vit toujours dans l'après-11 septembre 2001, la première attaque perpétrée directement sur son sol[1]. La nation est en « guerre globale contre le terrorisme », selon l'administration Bush. Sur plusieurs fronts, notamment l'Irak ou l'Afghanistan.

De plus, la menace que représente la possession par l'Iran d'un éventuel arsenal nucléaire pèse sur la campagne présidentielle tout au long du second semestre 2007. Tous les candidats, au sein des primaires, sont passés au crible.

---

1. À l'exception notable de l'attaque japonaise de Pearl Harbor, en décembre 1941, dans les îles Hawaii situées en plein océan Pacifique.

Certains ne font pas le poids. D'autres s'en sortent. C'est à l'aune de leur crédibilité en matière de politique internationale que les candidats sérieux se détachent dans les sondages. Giuliani et McCain côté républicain ; Hillary Clinton, Edwards et Obama chez les démocrates. Et si l'élection présidentielle devait finalement se jouer sur des questions d'ordre intérieur – telle l'économie, comme cela est souvent le cas –, le domaine étranger aura pour sa part largement servi à discréditer et à mettre hors course les autres candidats.

Obama, pourtant, a longtemps eu du mal à faire prévaloir ses idées. La faute à son « inexpérience », comme le fustigent ses adversaires, ou en tout cas à une appartenance au pouvoir washingtonien trop récente. Les difficultés, pour ne pas dire la déroute, rencontrées en Irak, placent cette question au centre de la campagne électorale. Barack Obama, le seul démocrate en lice s'étant publiquement opposé à l'intervention américaine, va donc construire sa réflexion autour de cette conviction. Non sans heurts. Outre l'Irak, Obama a longuement livré, et à de nombreuses reprises, ses vues sur les différentes crises qui secouent le monde : Afghanistan, Pakistan, Moyen-Orient, relations avec l'Arabie Saoudite, mais aussi sur les questions du génocide, de l'aide au développement, de l'humanitaire, sur le rôle des Nations unies, de l'Otan, sur les relations transatlantiques…

Passage en revue du monde selon Barack Obama.

L'Irak

Les Américains ne l'oublient pas : ils sont en guerre. Par conséquent, l'Irak demeure bien la question la plus débattue en matière de politique étrangère au cours de cette campagne présidentielle. Alors sénateur au Congrès de l'Illinois, Obama avait tenu à Chicago[1] un discours contre les « guerres

---

1. Voir chapitre 5.

idiotes ». Pourtant, en tant qu'élu au niveau fédéral, il avait par la suite dû se résoudre à voter pour plusieurs rallonges budgétaires demandées par le Président Bush...

Depuis le premier jour de sa candidature, Barack Obama prône un retrait des troupes. « Il est temps de les faire rentrer à la maison », dit-il souvent. Son plan s'est progressivement affiné, jusqu'à sa visite sur place, le 21 juillet. Malgré l'opposition du général David Petraeus, le plus haut gradé américain en charge des opérations sur le sol irakien, Obama y a réaffirmé son plan de retrait progressif des troupes américaines en seize mois. « Je pense que la meilleure façon d'aider la souveraineté de l'Irak et d'encourager les Irakiens à se relever se fera par le redéploiement responsable de nos brigades de combats », déclare-t-il à chaud[1].

Ce retrait en seize mois, brigade par brigade, figure dans le programme du candidat depuis l'automne 2007. Dans une longue interview accordée au *New York Times* le 1er novembre 2007, le démocrate se justifie longuement. « Évidemment, un énorme désir prédomine au sein du parti démocrate de rapatrier nos forces d'Irak. Mais, d'un autre côté, personne ne veut passer la main à Al-Qaïda. » Le candidat poursuit sa logique en affirmant que des brigades peuvent être retirées dans les « régions jugées stables, où nous collaborons avec les leaders tribaux et les officiels locaux ».

Sur ce sujet également, Barack Obama prouve donc qu'il est avant tout un réaliste davantage qu'un idéaliste. « Nous avons déjà un nombre énorme de déplacés Irakiens, ainsi que des réfugiés d'autres pays. [...] Mon objectif stratégique est de nous sortir de cette affaire de patrouilles dans les rues et de contrer les insurgés. Nous n'allons pas nous engager dans des activités de combat au jour le jour. La question est de savoir comment procéder avec responsabilité pour sécuriser nos troupes, tout en assurant d'intenses efforts humanitaires. »

---

1. « After Visit, Obama defends Iraq Plan », *Washington Post*, 23 juillet 2008.

L'Afghanistan

Le conflit mené contre les Talibans et Al-Qaïda constitue certainement la question centrale de la réflexion de Barack Obama en matière de « guerre contre le terrorisme », selon l'expression de George Bush – que le nouveau candidat à la présidence ne réfute toutefois pas. Depuis l'hiver 2007, Obama évoque un changement de priorité, c'est-à-dire un basculement d'objectif stratégique et de moyens militaires entre l'Irak et l'Afghanistan. Sa visite sur place, en juillet 2008, l'a conforté dans cette idée, avant de le conduire à demander du renfort aux alliés européens des États-Unis.

« Je pense que les Américains doivent envoyer au moins deux brigades supplémentaires. Il est bien évident que plus l'engagement sera fort du côté de nos alliés de l'Otan, plus les troupes engagées auront les coudées franches et une marge de manœuvre importante, explique-t-il lors de sa conférence de presse à l'Élysée, en compagnie du président Sarkozy, le 25 juillet, quelques jours après son passage en Afghanistan. Mais, comme je l'ai dit, poursuit-il devant la presse internationale, l'Afghanistan est une guerre que nous ne pouvons pas nous permettre de perdre. Nous n'avons pas d'alternative. Nous sommes dans une situation où Al-Qaïda et les Talibans se sont implantés dans des lieux sûrs, qui sont autant de foyers à partir desquels pourraient être organisées ou planifiées des attaques terroristes contre Paris ou New York[1]. »

L'Iran

Le danger du programme nucléaire iranien, et sa possible utilisation à des fins militaires, figure également dans

---

1. Voir le texte intégral de cette conférence de presse sur le site de la présidence de la République (www.elysee.fr).

les priorités du possible futur président américain. Sans être un thème de campagne inévitable, la question des frappes aériennes ciblées sur les installations, soit par les Américains, soit par leurs alliés israéliens, s'est parfois invitée dans le débat. Obama, plus encore que ses concurrents démocrates et républicains, s'est toujours montré prudent. « Nous avons connu nos plus grands succès en politique étrangère lorsque nous avons montré de la retenue », affirme-t-il en parlant de l'Iran[1].

Il estime par ailleurs que les États-Unis ne peuvent faire pression seuls sur le régime de Téhéran. Il appelle les Européens et les Russes, en pointe sur ce dossier, à en faire plus. « Vous ne pouvez pas engager [un effort de] diplomatie en étant isolé, dit le sénateur. Il doit se créer un contexte plus large pour ce faire[2] », ajoute-t-il, en mentionnant également le rôle de la Syrie.

Ses adversaires, au premier rang desquels Hillary Clinton, ont vertement critiqué Barack Obama lorsqu'il a déclaré vouloir discuter directement avec les ennemis (ou supposés tels) des États-Unis : Mahmoud Ahmanedijad (Iran), Bachar Al-Assad (Syrie) ou encore Fidel Castro (Cuba) et Hugo Chávez (Venezuela). « Comme je l'ai déjà dit, je rencontrerai directement les leaders iraniens et syriens. Nous adopterons un niveau agressif de diplomatie personnelle. »

Le processus de paix israélo-palestinien

Voici une question de la plus grande sensibilité, non seulement en termes de relations internationales, mais aussi de politique intérieure américaine. La communauté juive pèse en effet sur la vie politique américaine, car son électorat est courtisé par les deux principaux partis politiques.

---

1. « U.S. policy on Iran must show restraint, Obama cautions », *Des Moines Register*, 29 octobre 2007.
2. *New York Times*, 1er novembre 2007.

On le sait, George W. Bush a soutenu les yeux fermés la politique du gouvernement d'Ariel Sharon et fait de même avec celui emmené par Ehoud Olmert. La sécurité d'Israël n'est pas négociable et tout accord de paix avec les Palestiniens doit commencer par ce principe.

La relation privilégiée entretenue par les États-Unis et Israël est historique. Tout président américain, qu'il soit républicain ou démocrate, a soutenu sans faillir l'État juif depuis sa création. Mais il y a longtemps eu un doute, dans la campagne présidentielle de 2008, sur les positions de Barack Obama, savamment entretenu par l'équipe Clinton, puis par les républicains. Après tout, ne parle-t-il pas de changement ? Cela concerne-t-il également un éventuel retrait des troupes d'Irak ? Il a vécu dans un pays musulman, une partie de sa famille l'est : sera-t-il aussi sensible à la sécurité d'Israël ? Telles sont, en somme, les interrogations de nombre d'électeurs, en particulier au sein de la communauté juive américaine.

Mais « le problème juif d'Obama est-il un mythe ? », se demande le magazine *Newsweek*[1]. L'hebdomadaire rappelle que le sénateur de l'Illinois a reçu une *standing ovation* à la soirée de l'organisme AIPAC (American Israel Public Affairs Council), qu'il a « un noyau important de supporters juifs libéraux à Chicago depuis longtemps ». L'article cite David Geffen, l'un des producteurs les plus influents de Hollywood, naguère soutien de Hillary Clinton et aujourd'hui de Barack Obama. Selon lui, la campagne de l'ancienne First Lady porte une réelle responsabilité dans « cette horrible désinformation », qui aurait notamment été fomentée à destination des électeurs juifs âgés résidant en Floride.

Obama a donc dû, à plusieurs reprises, donner des gages aux Juifs américains ainsi qu'aux Israéliens, qui suivent attentivement la campagne électorale. « Obama a essayé à une ou deux reprises de rassurer sur sa politique

---

1. « His Jewish "problem" : a myth ? », *Newsweek*, 16 juin 2008.

envers Israël, écrit le quotidien *Haaretz*. Sa dernière déclaration était : "Les Palestiniens devront réinterpréter la notion du droit au retour de telle manière qu'Israël soit préservé en tant qu'État juif." Cela pourrait impliquer des compensations et d'autres concessions de la part d'Israël, mais, en fin de compte, Israël ne va pas abandonner son État[1]. »

Quelques jours avant de se rendre au Moyen-Orient (Afghanistan et Irak) puis au Proche-Orient (escales en Jordanie, Israël et visite rapide en Cisjordanie), Barack Obama décide d'affermir ses positions, comme pour clore le chapitre d'informations ou de rumeurs qui ne font pas de lui un soutien solide d'Israël. Il parle ainsi de Jérusalem comme « capitale indivisible d'Israël[2] », un point très sensible des négociations entre Palestiniens, qui veulent faire de Jérusalem-Est la capitale de leur futur État, et Israéliens, opposés à la division de la ville, qu'ils contrôlent entièrement. Puis il adoucira sa déclaration quelques jours plus tard, sur CNN : « Manifestement, ce sera aux Israéliens et aux Palestiniens de discuter [de cela]. [...] Je pense que la division sera compliquée à réaliser de fait », conclut-il.

Le voyage d'Obama en Israël s'avère rassurant pour nombre d'observateurs dubitatifs... jusque dans son propre camp. En s'entretenant avec le président Shimon Peres, le Premier ministre Ehoud Olmert, mais aussi avec le leader de l'opposition Benyamin Netanyahou, Barack Obama a « paru présidentiel ». Autrement dit, crédible. Il n'a commis aucune faute, aucun dérapage. Il a visité Sderot, ville du sud du pays régulièrement victime des roquettes du Hamas, tirées de la Bande de Gaza. Il s'est également rendu à Yad Vashem, lieu de la commémoration de l'Holocauste, près de Jérusalem, et a prié devant le mur des Lamentations. Enfin, il n'a réservé que quelques moments au président de l'Autorité palestinienne, Mahmoud Abbas, dans la ville de Ramallah ; fait rassurant pour les électeurs

---

1. « Obama backs Israel as Jewish state », *Haaretz*, 27 décembre 2007.
2. Discours du 4 juin 2008 devant l'American Israel Public Affairs Council.

juifs, mais également satisfaisant pour les Palestiniens, qui avaient été snobés par John McCain au cours du mois de mars. Un titre d'une dépêche de l'Associated Press, qui fait le bilan de ce voyage en Terre sainte, le 24 juillet 2008, résume bien les choses : « Israéliens et Palestiniens sont d'accord : Obama a fait bonne impression, mais il s'adressait à ses électeurs, pas à eux. »

L'Europe

Barack Obama n'a véritablement exprimé sa position sur les relations transatlantiques qu'au cours de son voyage en Europe, après le Proche et le Moyen-Orient, au mois de juillet 2008. À Berlin, Paris et Londres, le démocrate, accueilli à bras ouverts, a martelé sa volonté de resserrer des liens historiques malmenés depuis l'invasion de l'Irak. Le sénateur a d'ailleurs choisi la capitale allemande pour délivrer un discours public, devant plus de 200 000 personnes, au pied de la colonne de la Victoire et face à la porte de Brandebourg. À quelques encablures d'où John Kennedy avait déclaré en 1963 : « Je suis un Berlinois », et où Ronald Reagan avait demandé à Gorbatchev de « faire tomber ce mur », en 1988.

Seulement, Obama n'est pas encore Président... Par précaution, aucune pancarte de campagne « Barack Obama » n'avait donc été distribuée, au contraire de centaines de drapeaux américains ; n'étant qu'un candidat en campagne, mais à l'étranger, cela aurait été mal vu. « Ce soir, je m'exprime devant vous non comme un candidat à la présidence, mais comme un fier citoyen américain et un concitoyen du monde », débute-t-il. Le sénateur est régulièrement interrompu par les clameurs de la foule. Le discours est retransmis en direct sur les chaînes de télévision américaines.

Le candidat prend la ville de Berlin en exemple d'unité, de paix et d'amitié entre l'Amérique et l'Europe. La Seconde Guerre mondiale, le plan Marshall, le blocus de

1948, la crise de 1958-1961 qui aboutit à la construction du mur par le régime communiste, mais aussi l'espoir de la population allemande, son combat, son alliance avec l'Amérique, la réunification... Le discours, empreint d'une évidente portée symbolique, se veut fort. L'« Obamamania » a gagné le Vieux Continent.

À Berlin, Paris et Londres, l'ancien avocat a plaidé la cause de l'Amérique sous l'angle de l'alliance. Et il n'a pas manqué d'insister sur la nécessité de « travailler ensemble » afin de relever les défis de la planète au cours du XXIe siècle. Lors de sa conférence de presse commune avec le président français, évoquant son discours tenu la veille en Allemagne, il précise qu'il « visait un public européen au sens large » et poursuit : « J'espère que mes amis en France ont pu entendre ce que j'ai dit sur le renforcement de la relation entre les États-Unis et l'Europe. Depuis trop longtemps, on caricature des deux côtés de l'Atlantique les Européens et les Américains. Les Européens perçoivent les Américains [...] comme des unilatéralistes, des militaristes, oubliant les énormes sacrifices que les militaires européens, mais aussi les contribuables américains, ont fait pour contribuer à la construction de l'Europe et favoriser la sécurité partout dans le monde. De l'autre côté, aux États-Unis, prédomine une certaine tendance à considérer que les Européens ne veulent pas se mouiller sur ces questions sécuritaires très difficiles, très épineuses. [...] Je pense que les Américains et les Européens ont une très longue tradition d'amitié qui remonte au fondement même, à la création même, de notre pays[1]. »

Concrètement, Obama demande aux Européens plus de troupes pour l'Afghanistan, salue le retour de la France dans le commandement intégré de l'Otan et promet de prendre exemple sur la France et l'Allemagne dans la lutte contre le réchauffement climatique.

---

1. AFP, 25 juillet 2008.

L'Afrique

Le continent africain occupe une place bien particulière dans le cœur de Barack Obama. Sa visite officielle de 2006, en tant que parlementaire membre du comité des Affaires étrangères du Sénat, lui a sans doute permis de mieux mesurer les enjeux communs à beaucoup de pays africains : la lutte contre le Sida et la malaria, le déficit de la démocratie, la corruption, ou encore les guerres intertribales[1].

Le génocide en cours au Darfour, cette région du sud du Soudan, fait partie des enjeux régulièrement cités par le candidat Obama. À la fois comme enjeu de politique étrangère et priorité d'ordre moral. « Ce qui se passe au Darfour n'est pas acceptable », dit-il en ajoutant que l'Amérique doit agir dans le cadre du concert des nations.

Cuba

Aussi surprenant que cela puisse paraître en Europe, la question cubaine demeure d'actualité aux États-Unis. Elle concerne directement plusieurs millions de Cubano-Américains vivant majoritairement en Floride. Et le « Sunshine State » étant l'un des plus peuplés, il demeure par conséquent un immense pourvoyeur de grands électeurs dans le scrutin indirect en vigueur pour l'élection présidentielle ; on comprend dès lors pourquoi les candidats en font un sujet de campagne sensible. Traditionnellement, les Cubains d'Amérique votent plutôt pour le parti républicain, qui tient le même discours anticastriste depuis les années 1960.

Barack Obama, en août 2007, a appelé à assouplir l'embargo, toujours en vigueur sur l'île. À Miami, alors qu'il effectue une visite à Little Havana, il indique vouloir donner « des droits non restreints » aux Cubano-Américains qui veulent

---

1. Voir chapitre 10.

rendre visite à leur famille à Cuba ou leur envoyer de l'argent. Devant plus d'un millier de personnes, il suggère donc la possibilité d'un changement de politique quant à cette question. « Ce discours, tenu au cœur de la communauté cubano-américaine, a beaucoup de valeur et fait réellement figure de symbole », juge ainsi Joe Garcia, ancien directeur de la Fondation nationale cubano-américaine. « Le sénateur Obama en est arrivé à la même conclusion que la majorité des Cubano-Américains : favoriser ce genre de voyages s'avère bon pour la liberté et la démocratie[1]. »

Les questions intérieures : l'économie

L'économie s'est progressivement imposée comme le thème de campagne numéro 1 aux États-Unis au cours de l'hiver 2007-2008, reléguant même la guerre en Irak au deuxième rang. La crise dite des « *subprimes* », ces prêts immobiliers à risque octroyés par les banques et les organismes de crédit à des foyers n'ayant parfois pas de revenus fixes, est entre-temps passée par là. La répercussion de l'effondrement du marché de l'immobilier, conjuguée à d'autres mauvais indicateurs économiques, a eu raison du moral des ménages américains, qui avaient très vite repris le chemin de la consommation après les attaques terroristes du 11 septembre 2001. Le terme de « récession » n'est désormais plus tabou.

Chaque candidat en lice a donc dû présenter son plan pour relancer l'économie américaine, parfois dans la précipitation, pressé par l'actualité. Souvent, les mauvaises nouvelles ont poussé les démocrates et les républicains à effectuer des ajustements majeurs dans leur programme.

On le sait, les républicains préfèrent traditionnellement que le gouvernement n'intervienne pas dans l'économie.

---

1. « Obama calls for adjustments to Cuba embargo », *Miami Herald*, 20 août 2007.

John McCain, en tête de liste, admet volontiers que la question économique n'est pas son domaine de prédilection. Au contraire, les démocrates sont favorables à l'intervention du politique dans l'économie. Au printemps 2008, cette opposition classique prend forme. Obama tient un discours volontariste, tandis que McCain préfère laisser faire le marché.

Dès le mois de janvier, Obama annonce un premier « plan pour stimuler l'économie et protéger les familles américaines ». Cette résolution présente plusieurs points[1] :

– 250 $ de réduction d'impôt pour les employés et leurs familles,

– 250 $ de bonus pour les seniors via le système de retraite public,

– aider les États les plus touchés par la crise immobilière,

– lever les pesanteurs sur les propriétaires de maisons touchés par la crise,

– étendre l'indemnisation chômage.

Quelques jours plus tard, c'est dans le nord du Midwest, cœur industriel touché de plein fouet par les délocalisations et dont le secteur automobile, autrefois le fleuron, est en pleine décrépitude, qu'Obama choisit de s'exprimer[2]. Annonce principale : la mise sur pied d'une banque de réinvestissement dans les infrastructures nationales[3]. L'objectif du candidat démocrate est de consacrer environ 60 milliards de dollars sur dix ans pour rénover les routes, les ponts et les systèmes de distribution des eaux, souvent dans un état de vétusté avancé. Selon Obama, un programme de grands travaux, impulsé par l'État fédéral, pourrait ainsi créer deux millions d'emplois.

Toutefois, c'est un peu plus tard dans la campagne que l'économie devient le principal sujet de préoccupation. En

---

1. Communiqué de presse Obama, 31 janvier 2008.
2. Discours de Janesville (Wisconsin), 13 février 2008.
3. National Infrastructure Reinvestment Bank.

juin, juillet et août, l'opposition entre John McCain et Barack Obama prend même un tour assez idéologique. Le sénateur de l'Illinois se positionne désormais comme un démocrate classique : il appelle à la baisse d'impôts pour les classes moyennes et les retraités, à la suppression des « cadeaux fiscaux » – en fait, des suppressions d'impôts – octroyés par George Bush aux classes les plus aisées, et propose d'injecter immédiatement 50 milliards de dollars pour relancer l'économie.

« Nous ne sommes pas arrivés au seuil de notre crise économique actuelle par le hasard de l'histoire, lance-t-il. C'est la conclusion logique d'une philosophie usée et aux mauvaises priorités qui ont dominé à Washington depuis trop longtemps. [...] On nous avait promis un conservateur en termes de fiscalité. Au lieu de cela, nous avons eu l'administration la plus irresponsable de l'Histoire. Et maintenant John McCain veut nous en donner une autre[1]. »

Le système des retraites figure également parmi les préoccupations des Américains. Largement déficitaire, la Social Security doit être réformée, avance Barack Obama. Mais le candidat souhaite éviter sa privatisation ou l'augmentation de l'âge de la retraite. Dans ce but, il est prêt à augmenter les impôts des plus riches.

Les conseillers économiques d'Obama, au premier rang desquels Austan Golsbee, expliquent le financement de toutes ces réformes économiques : un mélange d'augmentation d'impôts pour les plus riches et d'économies réalisées sur les « gâchis » de l'administration Bush, notamment les milliards dépensés en Irak. « Voici le choix auquel nous faisons face aujourd'hui, pose le démocrate. Un choix entre une incrémentation de cette même politique qui a aggravé les inégalités, ajouté de la dette à la dette et bousculé les fondations de notre économie, ou le changement qui restaurera l'équilibre de notre économie, qui investira dans

---

1. « Obama, adopting economic theme, criticizes McCain », *New York Times*, 10 juin 2008.

l'ingéniosité et la capacité d'innovation de notre peuple, qui dynamisera une prospérité venant du bas et allant vers le haut, afin de rendre l'Amérique plus forte et compétitive au XXIe siècle[1]. »

Le système de santé

Voici un thème qui a dominé la phase des primaires au sein du parti démocrate. Globalement, Hillary Clinton, John Edwards et Barack Obama veulent rendre « universel » le système qui prive actuellement 47 millions d'Américains (dont 9 millions d'enfants) des soins les plus élémentaires. Seul l'État du Massachusetts a voté une loi allant dans ce sens. La Californie, sous l'impulsion de son gouverneur Arnold Schwarzenegger, a initié le même projet. Pour l'instant, la première mouture du texte a été rejetée, le consensus entre démocrates et républicains étant difficile à trouver.

Les trois démocrates ont donc la même ambition, mais entendent emprunter des chemins différents pour y parvenir. Edwards, le plus « à gauche », veut rendre l'assurance santé publique obligatoire. Le programme de Hillary Clinton, qui avait tenté en vain de réformer le système sous l'impulsion de son mari en 1993, consiste à rendre obligatoire la couverture santé, actuellement généralement délivrée par des mutuelles privées. Enfin, Barack Obama n'a pas, dans un premier temps, l'intention de « forcer » les citoyens à se couvrir[2]. Il souhaite « rendre la couverture santé abordable pour tous ». En d'autres termes, la rendre moins chère. « Si les Américains n'ont pas d'assurance santé, ce n'est pas parce qu'ils n'en veulent pas, mais parce qu'ils n'ont pas les moyens de la payer », assène-t-il. Priorité d'Obama : obliger les entreprises à assurer leurs salariés,

1. *Ibid.*
2. *Mandatory health care.*

comme c'est déjà souvent le cas, en baissant les coûts. Mais il s'agit surtout de changer les règles du jeu ; aujourd'hui, de nombreux Américains se voient mis à l'écart du système par les mutuelles qui refusent de les assurer pour cause de « condition préexistante ». À cela, Obama oppose la promesse d'une « éligibilité garantie »[1].

Environnement et politique énergétique

Le plan se révèle ambitieux... et coûteux. On évoque ainsi 150 milliards de dollars répartis sur dix ans, destinés à réduire de 35 % l'émission de gaz à effet de serre, en investissant notamment massivement dans les nouvelles énergies. L'objectif est de réduire de 80 % ces émissions à l'horizon 2050. L'un des moyens de financer un tel programme consisterait à établir une taxe sur la pollution – le principe de pollueur-payeur. « Aucune entreprise ne sera autorisée à émettre du gaz carbonique gratuitement, clame Obama, en campagne dans le New Hampshire. Les entreprises ne sont pas propriétaires du ciel, le public si. Et si nous voulons qu'elles arrêtent de polluer, il faut fixer un tarif pour toutes les pollutions[2]. »

Selon le candidat démocrate, les pistes d'avenir, « afin d'arrêter notre dépendance vis-à-vis du pétrole de l'étranger », supposent de doubler le financement de la recherche et le développement énergétique, et d'investir dans les énergies propres, permettant de créer des « emplois verts »[3].

Barack Obama a longtemps été critiqué par les associations écologistes américaines ; rappelons qu'en tant que

1. Source : www.barackobama.com
2. « Obama proposes capping greenhouse gas emissions and making polluters pay », *New York Times*, 9 octobre 2007.
3. Sont qualifiés d'énergies propres le solaire, l'éolien, la nouvelle génération de biofuels, le charbon exploité « proprement » (voir le plan détaillé sur www.barackobama.com).

sénateur, il a voté le plan énergétique du Président Bush en 2005, ou encore qu'il a soutenu une loi favorisant la production de charbon dans son État de l'Illinois. Il se devait donc de faire ses preuves et de se plier à l'électorat démocrate, traditionnellement très sensible à la question de l'environnement.

Sur quel thème principal va se jouer l'élection du 4 novembre ? La politique étrangère ? Des questions de politiques intérieures ? L'économie ? Obama a-t-il les armes pour combattre la machine républicaine ? Quoi qu'il en soit, lui se proclame « prêt à gouverner dès le premier jour ».

Table

REMERCIEMENTS

Je tiens à exprimer toute ma reconnaissance à Sharon, pour sa patience et ses encouragements, ainsi qu'à ma famille et à mes amis pour leur soutien.

Merci également à tous les interlocuteurs qui ont bien voulu répondre à mes questions et m'accorder un moment de leur précieux temps.

J'exprime enfin ma gratitude à Joseph Vebret, qui a cru en ce projet et apporté tous ses soins à ce livre ; à Catherine Clark (USC) et Cécile Réchaussat (Montréal), pour leurs traductions rapides et efficaces ; à Michel Colomès (*Le Point*) et Henri Vernet (*Le Parisien*) pour leur soutien concret ; à André Kaspi, pour sa passion communicative et sa bienveillance depuis de nombreuses années.

*Cet ouvrage a été composé
par Atlant'Communication
aux Sables-d'Olonne (Vendée)*

Impression réalisée sur CAMERON par

*La Flèche (Sarthe)
en septembre 2008
pour le compte des Éditions de l'Archipel
département éditorial
de la S.A.S. Écriture-Communication*

Imprimé en France
N° d'impression : 49605
Dépôt légal : septembre 2008